Geist, Seele und Leib II

Die Geschichte der geistlichen Welt, die sich im All entfaltete!

Geist, Seele und Leib II

Dr. Jaerock Lee

Geist, Seele und Leib II von Dr. Jaerock Lee
Veröffentlicht von Urim Books (Vertreten durch: Seongnam Vin)
73, Yeouidaebang-ro 22-gil, Dongjak-gu, Seoul, Republik Korea
www.urimbooks.com

Alle Rechte vorbehalten. Dieses Buch oder Teile davon dürfen nicht ohne vorherige schriftliche Genehmigung des Herausgebers in irgendeiner Art reproduziert, auf Datenträgern gespeichert, elektronisch oder mechanisch übertragen oder fotokopiert werden.

Alle Schriftstellen sind, wenn nicht anders angegeben, der Revidierten Elberfelder Bibel entnommen.

Urheberrecht © 2019 Dr. Jaerock Lee
ISBN: 979-11-263-0468-4 04230
ISBN: 979-11-263-0467-7 (set)
Urheberrecht der Übersetzung © 2017 Dr. Esther K. Chung. Mit freundlicher Genehmigung.

Erste Ausgabe: Februar 2019

Ursprünglich 2010 von Urim Books auf Koreanisch veröffentlicht

Redaktion: Dr. Geumsun Vin
Gestaltet vom Editorial Bureau von Urim Books
Druck: Prione Printing
Für weitere Informationen: urimbook@hotmail.com

Vorwort

Von dem Zeitpunkt an, als ich Jesus Christus annahm und begann, die Bibel zu lesen, fing ich auch an, intensiv dafür zu beten, das Herz Gottes zu verstehen. Gott erhörte mich nach sieben Jahren, in denen ich zahllose Gebete gesprochen und oft gefastet hatte. Nachdem ich eine Gemeinde eröffnet hatte, erklärte Gott mir viele schwierige Passagen in der Bibel durch die Inspiration des Heiligen Geistes, eine davon sind Einzelheiten über „Geist, Seele und Leib". Es ist eine geheimnisvolle Geschichte, die uns hilft, den Ursprung des Menschen und uns selbst zu verstehen. Es ist ein Bericht über etwas, was ich bisher nirgendswo anders gehört habe, und der mir unbeschreiblich große Freude bereitet hat.

Als ich die Botschaften über Geist, Seele und Leib predigte, gab es viele Zeugnisse und Reaktionen darauf, sowohl aus Korea als auch aus anderen Ländern. Viele konnten sich selbst plötzlich verstehen, sie begriffen, was für Wesen sie sind und sie bekamen Antworten auf viele schwierige Abschnitte in der Bibel. Darüber hinaus konnten sie erfassen, wie man das wahre Leben gewinnt. Manche von ihnen erklärten, dass sie es sich nun zum Ziel gemacht hätten, ein Mensch zu werden, der vom Geist geleitet wird und dass sie an der göttlichen Natur des Herrn teilhaben wollen. Somit strecken sie sich jetzt nach dem aus, was in 2. Petrus 1,4 geschrieben steht: „*...durch die er uns die kostbaren und größten Verheißungen geschenkt hat, damit ihr durch sie Teilhaber der göttlichen Natur werdet, die ihr dem Verderben, das durch die Begierde in der Welt ist, entflohen seid.*"

In Sūnzǐs *Die Kunst des Krieges* steht, dass du nie eine Schlacht verlieren wirst, wenn du dich selbst und deinen Feind kennst. Die Botschaften über „Geist, Seele und Leib" bringen Licht in einen tief gelegenen Teil von uns selbst und lehren uns etwas über den Ursprung des Menschen. Haben wir diese Botschaft wirklich verstanden, werden wir jeden Menschen verstehen. Dann lernen wir auch, wie wir die Mächte der Finsternis, die uns beeinflusst haben, besiegen und somit ein erfolgreiches Leben als Christen führen können.

Teil 2 von *Geist, Seele und Leib* erläutert insbesondere den Ursprung von Gott dem Schöpfer, den riesigen geistlichen Raum

Vorwort

und den Raum des Lichtes, wo unser Geist wohnen wird. Es sind einige Farbbilder enthalten. Sie sollen dir helfen, die Gestalt Gottes besser zu verstehen – ebenso wie den Raum. Wenn wir erst einmal die Geheimnisse des Raumes verstehen und uns zu einem vollständig vom Geist geleiteten Mensch entwickeln, können wir über unsere menschlichen Beschränkungen hinauswachsen und den Raum Gottes zu nutzen. Und dann können wir auch die Gestalt Gottes sehen. Darum sagte Jesus in Johannes 14,12: *„Wahrlich, wahrlich, ich sage euch: Wer an mich glaubt, der wird auch die Werke tun, die ich tue, und wird größere als diese tun, weil ich zum Vater gehe."*

Ich möchte unserer Direktorin Geumsun Vin und dem Stab in unserer Redaktion danken. Ich hoffe, dass die Leser sich durch dieses Buch dafür qualifizieren, in den Raum des Lichtes einzutreten und die wunderbaren Räume Gottes zu erleben.

März 2010,

Jaerock Lee

Wir treten die zweite Reise über Geist, Seele und Leib an

„Er selbst aber, der Gott des Friedens, heilige euch völlig; und vollständig möge euer Geist und Seele und Leib untadelig bewahrt werden bei der Ankunft unseres Herrn Jesus Christus!"
(1. Thessalonicher 5,23).

Heute steht der Cyberspace, das heißt der virtuelle Raum, jedem offen, der Zugang zum Internet hat. Dennoch machen die Menschen davon unterschiedlich Gebrauch, je nachdem, über wie viel Computerwissen sie verfügen und wie gut sie sich mit dem Internet auskennen. Und je nachdem, wie gut wir den Raum Gottes verstehen, können wir auch die erstaunlichen Wunder in der Bibel verstehen und das Wirken Gottes in unserem Alltag erleben.

In der Bibel stehen viele Dinge, mit deren Hilfe wir die Räume Gottes verstehen können. Als Stephanus gesteinigt wurde und als Märtyrer starb, öffnete sich das Tor des Himmels und er sah den Menschensohn zur Rechten Gottes stehen (Apostelgeschichte 7,56). Das war möglich, weil Gott diesen Raum im vierten Himmel öffnete. Petrus war im Gefängnis, weil er das Evangelium gepredigt hatte, doch er wurde von Engeln freigelassen. Der Apostel Paulus erlebte etwas Ähnliches, als man ihn in Philippi ins Gefängnis warf. Gott öffnete einen Raum im dritten Himmel, um einen mächtigen Engel zu senden, der die

Fesseln von Paulus löste und die Türen öffnete.

Wenn wir eine Herzenshaltung entwickeln, die völlig vom Geist geprägt wird, werden auch wir fähig, den Raum Gottes hier auf der Erde zu nutzen und dann wird uns nichts unmöglich sein. Darüber hinaus werden wir später das ewige Leben sowie die Segnungen im neuen Jerusalem genießen. Auf der anderen Seite muss eine Person, die sich noch nicht ganz vom Geist leiten lässt, erst ein Maß der Gerechtigkeit erfüllen, um den Raum Gottes nutzen zu können. Das vorliegende Buch ist voller Geschichten, die sich im grenzenlosen Raum des Geistes abgespielt haben.

Dieses Buch hilft dem Leser, Folgendes zu tun:

1. Es hilft dem Leser, die Liebe Gottes zu begreifen, der die Räume, Dimensionen sowie Licht und Finsternis gemäß Seiner Vorsehung für die Menschheit teilte, um so echte Kinder zu bekommen. Wenn wir Jesus Christus annehmen und im Glauben handeln, können wir das Recht genießen, Kinder des Lichtes zu sein und so in den wunderschönen Raum des Lichtes einzutreten.

2. Der Himmel ist der Raum des Lichtes. Er ist unterteilt in verschiedene Wohnorte, vom Paradies bis zum neuen Jerusalem. Dort werden wir in vollendeten himmlischen Körpern leben. Wir werden das ewige Leben im Himmel, der voller Glück und Freude ist, genießen. Das ist Gottes Geschenk an uns.

3. Es ist allein durch die Kraft Gottes, dass wir zu wahren Kindern Gottes werden, die in Seinem Ebenbild geschaffen sind. Durch die Kraft Gottes können wir an den schönen Ort des Lichtes gelangen und die wunderbaren, mächtigen Werke erleben, die über die menschlichen Grenzen dieser Erde hinausgehenn.

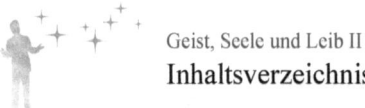

Geist, Seele und Leib II
Inhaltsverzeichnis

Vorwort

Wir treten die zweite Reise über Geist, Seele und Leib an

Teil 1 : Die Weite des geistlichen Raumes

Kapitel 1 : Finsternis und Licht … 2
Kapitel 2 : Qualifikationen zum Eintreten
  in den Raum des Lichtes … 42

Teil 2 : Geist, Seele und Leib im geistlichen Raum

Kapitel 1 : Die unterschiedlichen Wohnorte … 64
Kapitel 2 : Geist, Seele und Leib im geistlichen Raum … 88
  1. Die geistliche Gestalt
  2. Leib und Seele gehören zum Geist
  3. Gottes Gabe

Teil 3 : Über menschliche Grenzen hinaus

Kapitel 1 : Gottes Raum … 146
Kapitel 2 : Gottes Bild … 184

Geist, Seele und Leib I
Inhaltsverzeichnis

Teil 1 Fleisch wird gebildet

Kapitel 1: Das Konzept des Fleisches
Kapitel 2: Die Schöpfung
Kapitel 3: Der Mensch im physischen Raum

Teil 2 Die Seele wird gebildet
(Wie die Seele im physischen Raum funktioniert)

Kapitel 1: Die Bildung der Seele
Kapitel 2: Das Selbst
Kapitel 3: Die Dinge des Fleisches
Kapitel 4: Über die Ebene des lebendiges Geistes hinaus

Teil 3 Die Wiedererlangung des Geistes

Kapitel 1: Vom Geist geleitet und vom Geist geprägt
Kapitel 2: Gottes ursprünglicher Plan
Kapitel 3: Echte Menschen
Kapitel 4: Der geistliche Reich

Geist, Seele und Leib II

Teil 1

Die Weite des geistlichen Raumes

Was passierte vor der Schöpfung im Himmel?
Wie wurden die Räume von Licht und Finsternis geformt?

„Und dies ist die Botschaft,
die wir von ihm gehört haben und euch verkündigen:
dass Gott Licht ist, und gar keine Finsternis in ihm ist."
- 1. Johannes 1,5

„[I]hm, der einherfährt auf dem Himmel,
dem Himmel der Vorzeit! Siehe,
er lässt seine Stimme erschallen, eine mächtige Stimme."
- Psalm 68,34

Kapitel 1
Finsternis und Licht

Es gibt nicht nur in dieser sichtbaren Welt Licht und Finsternis, sondern auch Orte des Lichtes und der Finsternis in der geistlichen Welt. Warum ließ Gott zu, dass ein Raum der Finsternis existiert und wer ist der Herrscher über die Finsternis?

Der weite geistliche Raum und der ursprüngliche Gott

Gott plante die menschliche Zivilisation

Der ursprüngliche Gott wurde zum dreieinigen Gott

Gott schuf Engel und Cherubim

Die fehlgeschlagene Rebellion von Luzifer

Gottes Vorsehung bei der Scheidung von Licht und Finsternis

Die Weite des geistlichen Raumes

Bist du als Kind irgendwann einmal eingeschlafen, als du versucht hast, die Sterne im Himmel zu zählen? Ich glaube, viele von euch können sich an so eine Begebenheit erinnern. Es gibt so viele Sterne, die wir mit bloßem Auge sehen können. Doch es gibt unzählig viele mehr, die man nicht sehen kann. Wie groß ist das Universum?

Egal, wie stark sich die Wissenschaft auch entwickelt haben mag, der Mensch hat es noch nicht geschafft, die Größe des Universums genau zu berechnen. Der Grund ist, dass es ein endlos weiter Raum ist. Planeten wie die Erde versammeln sich, um ein Sonnensystem zu bilden. Viele Sonnensysteme und andere Himmelskörper wiederum bilden zusammen eine Galaxie. Viele Galaxien bilden ihrerseits eine Gruppe von Galaxien und Gruppen von Galaxien bilden Mikrokosmen, welche wiederum das riesige Universum darstellen.

Die Größe unseres Sonnensystems in unserer Galaxie ist praktisch wie ein kleiner Punkt. Diese Galaxie ist ihrerseits nur ein Pünktchen im Vergleich zum ganzen Universum. Das physische Universum allein kann selbst mit den modernsten wissenschaftlichen Geräten nicht gemessen werden. Wenn man es dann mit dem geistlichen Raum vergleicht, stellt es auch nur einen sehr kleinen Teil dar.

Neben diesem physischen Universum, das wir sehen können, gibt es einen geistlichen Raum, der sich endlos in einer anderen Dimension ausdehnt. In der Bibel ist von verschiedenen „Himmeln" die Rede.

Im 5. Mose 10,14 lesen wir: *„Siehe, dem HERRN, deinem Gott, gehören der Himmel und die Himmel der Himmel, die Erde und alles, was in ihr ist"* und in Nehemia 9,6 steht: *„Du, HERR, bist es, du allein. Du, du hast den Himmel gemacht, die Himmel der Himmel und all ihr Heer, die Erde und alles, was darauf ist, die Meere und alles, was in ihnen ist. Und du machst dies alles lebendig, und das Heer des Himmels wirft sich vor dir nieder."*

Wie sind die vielen Himmel entstanden und was geschah in diesen Himmeln vor der Schöpfung dieser Welt? Lasst uns in die Zeit vor der Schöpfung der Welt zurückgehen, bevor das Universum und die Galaxie, wie wir sie kennen, existierten. Das Universum damals war nicht das gleiche wie jetzt. Es war einfach ein riesiger Raum ohne Trennung zwischen dem geistlichen und physischen Raum.

Der weite geistliche Raum und der ursprüngliche Gott

Der weite geistliche Raum bezieht sich auf das

ursprüngliche Universum als Ganzes. Es war in jenem Raum, wo der ursprüngliche Gott sich vor der Zeit aufhielt. Mit dem Ausdruck „ursprünglicher Gott" ist hier Gott gemeint, der vor der Schöpfung als Licht und Stimme existierte. Das „ursprüngliche Universum" bezieht sich auf das Universum, wo der ursprüngliche Gott allein lebte.

Wie sah der ursprüngliche Gott aus? Stell dir wunderschöne Lichter vor, die das endlose Universum erfüllten – und jene Lichter waren wie Wellen. So wie es in 1. Johannes 1,5 heißt: *„Gott ist Licht"*, war Gott im gesamten ursprünglichen Universum in der Gestalt von solchen wunderschönen und brillanten Lichter gegenwärtig.

Die Nordlichter helfen uns zu verstehen, welche Gestalt Gott im Ursprung hatte. Man sieht sie am Nordpol. Normalerweise erscheinen diese Polarlichter in wunderschönen Farben wir rot, blau, gelb, hellgrün oder rosa. Man sagt, dass die Nordlichter so schön sind, dass diejenigen, die sie gesehen haben, ihre Schönheit nie vergessen.

In Römer 1,20 heißt es: *„Denn sein unsichtbares Wesen, sowohl seine ewige Kraft als auch seine Göttlichkeit, wird seit Erschaffung der Welt in dem Gemachten wahrgenommen und geschaut, damit sie ohne Entschuldigung seien."* Gott hat Lichter wie die Aurora geschaffen, damit wir, wenn wir über Gott im Ursprung nachdenken, verstehen können, wie Er aussah.

Im Ursprung hatte Gott eine klare und reine, aber dennoch majestätische Stimme im Licht, das sich bewegte wie rollende Wellen. Hast du schon einmal den flüsternden Klang wahrgenommen, den eine sanfte Brise mitbringt? Im Wind, der vom Meer kommt, kann man den sanften Sound der Wellen hören. So wie Klänge vom Wind getragen werden, erklang die Stimme aus dem ursprünglichen Licht. Und so wie Klänge vom Wind getragen werden, breitete sich die ursprüngliche Stimme zusammen mit dem ursprünglichen Licht im ganzen Universum aus und umgab es gleichzeitig.

Die Stimme Gottes wirst du nie vergessen, selbst dann, wenn du sie nur einmal gehört hast. Ich hörte sie ein paar Mal und sie war unsäglich majestätisch, rein und klar. Sie war grandios und pur. Die Stimme Gottes ist wirklich klar und rein, lieblich und dennoch so majestätisch, dass sie im gesamten Universum erschallt.

In Johannes 1,1 lesen wir: *„Im Anfang war das Wort, und das Wort war bei Gott, und das Wort war Gott."* Dieses Wort, was im Anfang war, ist die ursprüngliche Stimme, die im ursprünglichen Licht erklang. Der obige Vers bezeichnet Gott als „Wort", was eher die Essenz Gottes als Seine Gestalt beschreibt, denn die ist Licht. Das „Wort" ist der Inhalt und „Gott" ist der Name, der diesem Inhalt gegeben wurde. Die Essenz Gottes ist also das „Wort" und Er existiert in Form von Lichtern und einer Stimme, die das ganze Universum ausfüllten.

Gott plante die menschliche Zivilisation

Zu einem bestimmten Punkt auf der endlosen Zeitschiene

plante Gott, der zunächst allein existiert hatte, die „menschliche Zivilisation":

„Was wäre, wenn es jemanden gäbe, der über dieses riesige Universum und Mein Herz Bescheid wüsste und Meine Liebe teilen könnte? Was wäre, wenn er Mein Herz und Meine Emotionen, die Ich mit ihm teilen will, verstehen und empfangen könnte? Was, wenn er Mir sein Herz geben könnte? Wie wunderbar und herrlich wäre das wohl?"

Gott wollte ein Wesen, das mit Ihm kommunizieren und alles im Universum mit Ihm teilen würde. Genauer gesagt wollte Gott ein Wesen, mit dem Er Seine Liebe teilen konnte. Gott plante die „menschliche Zivilisation" mit dem Wunsch, ein neues Werk zu starten, um echte Kinder zu bekommen.

Was glaubst du, hat Gott zuerst getan im Hinblick auf Seinen Plan für die menschliche Zivilisation? Zunächst hatte Er als Licht existiert, das sich im ganzen Universum ausbreitete. Doch Er verschmolz auf dem Höhepunkt des geistlichen Raumes und nahm so die Gestalt von Licht an. Während Er als ein einziges Licht eins war, wurden die verschiedenen Dimensionen des „Himmels" geschaffen. Mit „Himmel" wird hier der Raum im Universum beschrieben. Am Anfang gab es nur ein ursprüngliches Universum, doch als der ursprüngliche Gott verschmolz und ein Licht wurde, kamen die unterschiedlichen

Räume im Universum zustande. Denn als die Lichter, die sich im ganzen Universum ausgebreitet hatten, zusammenfanden und auf dem Gipfel des geistlichen Raumes konzentriert auftraten, entstanden unterschiedliche Räume, die gemäß der Helligkeit des Lichtes unterteilt waren.

In der Vergangenheit war die Helligkeit des Lichtes überall im ursprünglichen Universum gleich. Doch dann wurde der Gipfel des geistlichen Reiches zum hellsten Ort. Wenn du zum Beispiel 10.000 Lampen nimmst, um eine Halle zu beleuchten, ist die Helligkeit überall in der Halle gleich. Aber was würde passieren, wenn du eine Lampe mit der gleichen Helligkeit wie die anderen 10.000 Lampen in die Mitte der Halle stellen würdest? Je näher zur Mitte du wärst, desto heller wäre das Licht. Umgekehrt gilt das Gleiche, je mehr du dich davon entfernst. Als das ursprüngliche Licht zu einem Licht verdichtet wurde, entstanden daraus resultierend verschiedene Räume. Die Unterteilung erfolgte gemäß der unterschiedlichen Helligkeit.

Das ursprüngliche Licht ist ein geistliches Licht und als die Helligkeit des Lichtes sich veränderte, änderte sich auch die Dichte der geistlichen Natur. Als das ursprüngliche Licht als gebündeltes Licht verschmolz, wurden Helligkeit und Dichte des Geistes geringer, je weiter sie von der Quelle entfernt waren. Das ursprüngliche Universum, das zunächst als ein Ort existierte, wurde gemäß der Helligkeit des Lichtes und der Dichte des Geistes in vier verschiedene Universen eingeteilt. Gott nannte sie den ersten, zweiten, dritten und vierten Himmel.

Der Ort, an dem Gott im Ursprung zu einem Licht

verschmolz, ist ein ganz besonderer Ort, der zum vierten Himmel gehört. Darum ist das Licht im vierten Himmel am hellsten, genauso wie die Dichte des Geistes. Der dritte Himmel ist weniger hell und die Dichte des Geistes ist geringer als im vierten Himmel. Das gleiche gilt für den zweiten Himmel. Der geistliche Raum besteht aus dem zweiten der vier Himmel. Der erste Himmel ist das physische Universum, welches wir mit unseren Augen sehen. Es ist ein Universum, wo die Natur des Geistes fast vollkommen weggenommen wurde, als Gott zu einem Licht verschmolz; darum ist es gefüllt mit der Natur des Fleisches und nicht mit der Natur des Geistes.

Wenn man im physischen Raum einen Bereich in vier Teile trennt, sind alle Teile kleiner als der ursprüngliche Bereich. Doch das ist im geistlichen Raum nicht der Fall. Der Grund ist, dass es im geistlichen Raum keine Grenzen gibt. Als das weite, endlose Universum in vier Teile getrennt wurde, entstanden vier weite, endlose Universen. Deshalb gilt, dass es in keinem dieser Himmel Grenzen gibt, obwohl das ursprüngliche Universum in vier Himmel geteilt wurde. Es ist nicht nur so, dass der zweite, dritte und vierte Himmel keine Grenzen haben, auch der erste Himmel mit seiner fleischlichen Welt hat keine Grenzen.

Gott ließ zwei verschiedene Himmel entstehen, weil es dafür unterschiedliche Nutzungen gab. Zunächst trennte Gott den ersten Himmel und sonderte ihn für die menschliche Zivilisation ab. Der zweite Himmel wurde zu einem Ort, an dem die Geister der Finsternis sein sollten, was für die menschliche Zivilisation nötig war. Doch er war auch für Adam gedacht, der als lebendiger Geist geschaffen wurde. Der dritte Himmel wurde abgetrennt, um ein himmlisches Königreich zu bauen. Dorthin sollte der gute Weizen kommen, der durch die menschliche Zivilisation entstehen würde. Und schließlich gibt es den vierten Himmel als Raum für den dreieinigen Gott. Er befindet sich in derselben Dimension wie das Universum, welches den ursprünglichen Raum darstellte.

Als das ursprüngliche Universum erstmals in die vier Himmel aufgespalten wurde, hatten diese Räume noch keinen Inhalt, was allerdings nicht heißt, dass sie vollkommen leer waren. Es gab im ursprünglichen Universum unzählige Sterne. Im ersten Himmel waren weder unserer Erde noch unser Sonnensystem noch unsere Galaxie geschaffen worden. Auch im dritten Himmel war das Königreich der Himmel noch nicht geschaffen. Es handelte sich einfach um einen passenden Ort für das Königreich der Himmel. Nach der Teilung der Räume fing Gott an, sie mit den Werken der Schöpfung zu füllen.

Der ursprüngliche Gott wurde zum dreieinigen Gott

Nachdem Gott alles Licht zusammengeführt hatte, teilte Er sich selbst in drei Lichter. Wenn ich sage, dass ein Licht in drei geteilt wurde, ist das nicht so zu verstehen, als würde ein gewisser Haufen in drei Teile getrennt. Vielmehr war es so, dass zwei äußerst ähnliche Lichter aus dem ursprünglichen Licht hervorgingen. Auch wenn das ursprüngliche Licht in drei geteilt wurde, sind diese weder voneinander getrennt noch unterscheiden sie sich; vielmehr sind sie so, wie das Original.

Das ursprüngliche Licht existierte als Einheit; die anderen beiden Lichter wurden neu erschaffen. Nachdem drei Lichter entstanden waren, nahm das Licht eine geistliche Gestalt an, die der eines Menschen entsprach. So gab es Gott Vater, Gott Sohn und Gottes Geist. Nachdem der Gott des Ursprungs sich in die Dreieinigkeit aufgeteilt hatte, nahm jede der Personen der Dreieinigkeit ihre eigene geistliche Gestalt an, die sich von den jeweils anderen beiden leicht unterschied. Doch der Geist in den geistlichen Wesen war aus demselben ursprünglichen Gott hervorgegangen. So könnte man sagen, dass die „drei in einem" alle dasselbe Herz, dieselben Gedanken, dieselbe Kraft und dieselbe Weisheit hatten und haben.

Darum sprechen wir von Gott dem Vater, Gott dem Sohn und dem Geist Gottes als Dreieinigkeit. Der dreieinige Gott schuf zuerst die Dinge, die für den Ort, an dem Gott wohnte, nötig waren. Während Gott allein als Licht existierte und von einer Stimme durchdrungen war, brauchte er keinen Wohnort. Doch weil Er jetzt eine Gestalt hatte, brauchte Er einen Ort, an dem Er wohnen konnte.

Wenn der dreieinige Gott im vierten Himmel bleibt, kann Er eine Gestalt annehmen oder es lassen. Im vierten Himmel vermag Er Seine Gestalt zu ändern, wie es Ihm gefällt. Und da Er bisweilen Seine Form ändert, gibt es dort einen Wohnort für Ihn. Im dritten Himmel nimmt Gott immer eine Gestalt an, denn dort befindet sich das Königreich der Himmel, weshalb Er dort auch einen Wohnort für sich schuf. Außerdem schuf Gott geistliche Wesen, die Ihm dienen.

Gott schuf Engel und Cherubim

Es gibt zwei Arten von geistlichen Wesen, die Gott schuf, die „Engel" und die „Cherubim". Ein Engel hat bis auf seine Flügel nahezu die gleiche Form wie ein Mensch (Offenbarung 14,6). Der Mensch wurde im Ebenbild Gottes geschaffen – wie auch die Engel (Markus 16,5). Allerdings haben Engel nur die äußere Gestalt Gottes, während der Mensch sowohl das äußere Bild Gottes als auch Sein Herz hat.

Wie steht es mit der Größe der Engel? Es gibt Engel, die Menschen ähneln. Es gibt allerdings neben sehr kleinen Engeln auch welche, die riesig sind. Ihre Gestalt und Eigenschaften hängen von ihren Rollen ab.

Wenn ein Engel zum Beispiel die Rolle eines Generals in einer Armee spielt, wäre ein Engel, der als Mann erscheint, am passendsten. Zum Tanzen und Singen sind weibliche Engel am besten geeignet. Das soll nicht heißen, dass männliche Engel nicht tanzen. So wie es auf der Welt männliche Tänzer gibt, die ihre Rolle spielen, gibt es auch Engel, die Männern ähneln. Jedoch haben Engel kein Geschlecht, auch wenn sie in der Form von männlich oder weiblich aussehenden Gestalten auftreten. Gemeint ist einfach, dass sie durch ihre Erscheinung und ihr Verhalten als männlich oder weiblich wahrgenommen werden.

Engel dienen Gott und kommen den Pflichten nach, die Gott

ihnen aufgetragen hat. Es gibt viele Arten von Aufgaben und zahllose Engel.

Und alle Engel standen rings um den Thron und die Ältesten und die vier lebendigen Wesen, und sie fielen vor dem Thron auf ihre Angesichter und beteten Gott an (Offenbarung 7,11).

Und ich sah einen anderen starken Engel aus dem Himmel herabkommen, bekleidet mit einer Wolke, und der Regenbogen war auf seinem Haupt, und sein Angesicht war wie die Sonne, und seine Füße waren wie Feuersäulen (Offenbarung 10,1).

„Sind sie nicht alle dienstbare Geister, ausgesandt zum Dienst um derer willen, die das Heil erben sollen?" (Hebräer 1,14).

Es gibt Engel, denen im geistlichen Raum einzigartige Pflichten übertragen werden. Daneben gibt es andere, die den Kindern Gottes auf Erden dienen. Die Anzahl der Engel, die einem Gläubigen zur Seite gestellt werden, ist unterschiedlich, je nachdem wie sehr die Person geheiligt ist und ob sie sich vom Geist leiten lässt oder vollkommen geistlich ausgerichtet ist. Die Rangordnung unter den Engeln ist festgeschrieben und wird streng eingehalten, je nach der geistlichen Hierarchie ihrer Meister, also den Menschen, denen sie zugeordnet sind. Darüber hinaus gibt es Engel, die jedem Menschen zugeteilt sind, egal ob es ein Gläubiger ist oder nicht. Diese Engel schreiben jedes einzelne Wort und jede Tat auf, die die Menschen auf der Erde aussprechen beziehungsweise tun.

Die Engel sehen wie Menschen aus, aber die Cherubim haben die Gestalt von verschiedenen Tieren. Die Cherubim, die die Aufgabe haben, Gott zu begleiten, sehen beispielsweise wie Löwen, Adler, Kühe oder Ochsen aus. In Psalm 18,11 heißt es: *„Er fuhr auf einem Cherub und flog daher, so schwebte er auf den Flügeln des Windes."*

Drachen, von denen Menschen meinen, sie seien Fantasiegestalten, waren früher Cherubim. Der Drache, den Gott am Anfang schuf, war so schön und lieblich, dass Gott ihn wie ein Haustier hielt. Er hatte weiches Fell, Hände und Füße. Die unterschiedlichen Farben, die er hatte, waren unbeschreiblich schön. Drachen waren die Anführer der Cherubim und hatten sehr viel Macht und Autorität. Auch hatten sie viele Boten unter ihrer Kontrolle.

Zu den Cherubim gehörten auch die „vier lebendigen Wesen". Sie sehen aus, als wären sie aus massivem Stahl und von dunkler Farbe. Die vier lebendigen Wesen lösen Desaster aus und teilten auf Gottes Befehl hin Bestrafungen aus. Sie spiegeln die Würde und Autorität Gottes wider. Sie haben ein Haupt, aber vier Gesichter – nämlich die Gesichter eines Mannes, eines Löwen, eines Kalbs und eines Adlers. Sie sehen aus, als wären es vier Personen, die sich jeweils den Rücken zugewandt haben und nach außen schauen. Im Zentrum ist eine Flamme, die nach oben und unten ausschlägt. Ihr Leib ist voller Augen und sie beobachten alles.

Als Gott die Engel und Cherubim schuf, gab Er ihnen keinen freien Willen wie den Menschen. Sie gehorchten Gottes Befehlen einfach, die ihnen gemäß ihrer Rangordnung erteilt wurden. Auch heute regiert Gott durch diese Engel und Cherubim noch über das ganze Universum.

Der geistliche Raum ist gut organisiert und strukturiert

Die Bibel spricht über himmlische Heerscharen und Erzengel. In Lukas 2,13 steht: *„Und plötzlich war bei dem Engel eine Menge der himmlischen Heerscharen, die Gott lobten und sprachen..."* Die himmlischen Heerscharen sind die Armee des Himmels.

Und im 1. Thessalonicher 4,16 heißt es: *„Denn der Herr selbst wird beim Befehlsruf, bei der Stimme eines Erzengels und bei dem Schall der Posaune Gottes herabkommen vom Himmel, und die Toten in Christus werden zuerst auferstehen."*

Die Erzengel erforschen alles und sind praktisch die Hände, Füße, Augen und Ohren Gottes. Sie nehmen auch Befehle entgegen und berichten Gott direkt. Neben den Erzengeln, die wie Diener sind, gibt es zahllose Engel, die sie unterstützen. Erzengel haben nicht alle Engel direkt unter sich; vielmehr haben sie führende Engel, die bestimmte Einheiten von Engeln leiten. Wenn in diesem System ein Befehl erteilt wurde, wird er korrekt weitergegeben und alle Berichte sind vollkommen fehlerfrei. Es gibt zwar viele Schritte, aber dieser Prozess wird sofort ausgeführt.

Gott kann dank der Rolle, die die Engel übernehmen, von Seinem Thron aus über jeden Menschen regieren und alle auf der Erde durchforschen. Natürlich ist Gott allmächtig und könnte auch alles allein erforschen. Dennoch berichten Ihm die Engel, was sie sehen und direkt prüfen. So sind die Engel nicht nur Berichterstatter, sondern auch selbst Zeugen ihrer Berichte. Dadurch gibt es mehr Aufschluss über die Gerechtigkeit von Gottes Gericht, wenn Er ein Urteil fällt

Wir könnten hier beispielsweise die Bestrafung von Sodom und Gomorra betrachten. In 1. Mose 19,1 lesen wir: *„Und die beiden Engel kamen am Abend nach Sodom, als Lot gerade im Tor von Sodom saß. Und als Lot sie sah, stand er auf, ging ihnen entgegen und verneigte sich mit dem Gesicht zur Erde."* Gott schickte Seine Engel noch einmal auf die Suche, bevor Er Sodom und Gomorra bestrafte. Die Menschen dort waren sehr rebellisch, das heißt, sie versuchten, den Engeln Schaden zuzufügen. Am Ende bestrafte Gott Sodom und Gomorra mit Feuer.

Einige der bekanntesten Erzengel sind Gabriel und Michael. Gabriel ist ein Bote, der besondere Offenbarungen oder Worte von Gott übermittelt. Er ist groß und ehrwürdig und trägt eine Robe mit weiten Ärmeln, die die Offenbarung Gottes enthalten können. So wie ein Diener, der die Anordnungen des Königs ausführt, ein Symbol hat, trägt Gabriel eine Robe, die ein Muster aufweist, das einem königlichen Siegel ähnelt.

Der Erzengel Michael ist wie der Oberste einer Armee und seine Augen spiegeln Würde wider. Sein Anzug ist gepanzert und er trägt einen Gürtel um den Leib, in dem sich viele verschiedene Waffen befinden können. Waffen zu haben, bedeutet im geistlichen Raum, dass Gott ihm Autorität für geistliche Schlachten gegeben hat. Die verschiedenen symbolischen Waffen können gezogen werden, je nachdem, wie schlimm der Kampf ist.

Es gibt zwei weitere riesige Erzengel. Sie haben eine weibliche Erscheinung und verfügen über viel Macht und Autorität. Normalerweise lächeln sie nicht. Wenn sie auftreten, werden sie von großartigen Werken Gottes begleitet. Sie sind sehr groß. Selbst wenn sie in einem Gebäude mit hohen Decken stehen, sieht man nicht mehr als den Saum ihrer Roben. Wir können nicht messen, wie groß sie sind, denn im geistlichen Raum gibt es ein komplett anderes Konzept von Maßen als auf dieser physischen Welt.

Drei Erzengel gehören direkt zu Gott

Neben den vielen Engeln schuf Gott einige, die Seiner direkten Kontrolle unterstehen und Ihm persönlich dienen. Da gab es zunächst drei Erzengel, darunter auch Luzifer. Alle drei hatten die Position und Würde der anderen Erzengel, waren aber darüber hinaus mit einer ganz besonderen Autorität ausgestattet. Allgemein gesagt bekamen geistliche Wesen keinen freien Willen. Sie konnten Gott nur bedingungslos gehorchen. Doch den drei Erzengeln, die Gott direkt unterstanden, gab Er menschliche Wesenszüge und einen freien Willen, den normalerweise nur Menschen bekommen. Gott schuf sie mit menschlichen Zügen und der Fähigkeit, Ihn zu lieben, auch wenn sie nicht exakt so sein können wie die Kinder Gottes, die Er durch die menschliche Zivilisation gewann. Gott ließ sich von ihnen dienen – von Herzen und aus freien Stücken. Sie konnten dank ihres freien Willens Gefühle wie Freude und Glück mit Ihm erleben.

Die drei Erzengel hatten ein weibliches Erscheinungsbild und waren sanftmütig, demütig und hatten ein gutes Herz. Die Worte, die aus ihrem Mund kamen, hatten ein gutes Aroma und ihr Verhalten war von Eleganz geprägt. Aber jeder von ihnen hatte einen etwas anderen Charakter. Luzifer hatte einen stärkeren Charakter als die anderen beiden. Er war für die Musik zuständig und Gott gefielen seine schöne Stimme und die Instrumente. Gott war begeistert von dem Lobpreis und liebte ihn sehr.

Gott zeigte mir Luzifer einmal. Er trug ein großes, prächtiges Kleid, das mit kostbaren Edelsteinen bedeckt war. Sein Haar war mit Juwelen geschmückt, die herunterhingen und mit seinem blonden Haar vollkommen harmonisierten. Er spielte auf herrlichen Musikinstrumenten. Der helle Klang der Edelsteine und der Klang des Lobpreises vermischten sich und breiteten sich so aus, wie der Wind blies. Der Sound stieg vor Gott auf und war wunderschön.

Doch weil Gott diesen Erzengel sehr liebte und er für eine lange Zeit viel Macht hatte, wuchs Arroganz in seinem Verstand. Als er alles sah, was Gott tat und wie viel Autorität Er hatte, um über den gesamten geistlichen Raum zu herrschen, wurde er eifersüchtig. Die Arroganz wurde so groß, dass er meinte, er könne alles besser als Gott. Schließlich plante er, sich über Gott zu erheben und versammelte dafür seine Truppen.

Luzifer hatte so viel Macht, dass er zunächst die Engel an seiner Seite versammelte, die seiner Autorität unterstanden. Neben unzähligen Engeln, nahm er auch Drachen und viele von den Cherubim unter seine Kontrolle. Er lockte sie, indem er vorgab, es handle sich um eine geheime Mission Gottes.

Die fehlgeschlagene Rebellion des Luzifer

Gott kannte Luzifers Gedanken und gab ihm die Chance, umzukehren. Er informierte ihn über die Konsequenzen von Rebellion, damit er der Realität direkt ins Auge sehen konnte. Doch die Arroganz hatte sich bereits in Luzifers Gedanken eingenistet und er kehrte nicht um. So wurde er zusammen mit den geistlichen Wesen, die ihm gefolgt waren, vertrieben und in den Abgrund verbannt, der auch als der „Schlund des Abgrundes" bezeichnet wird.

In Jesaja 14,12-15 steht der Bericht über die Rebellion und

Niederlage Luzifers sowie seinen endgültigen Bestimmungsort:

Wie bist du vom Himmel gefallen, du Glanzstern, Sohn der Morgenröte! Wie bist du zu Boden geschmettert, Überwältiger der Nationen! Und du, du sagtest in deinem Herzen: „Zum Himmel will ich hinaufsteigen, hoch über den Sternen Gottes meinen Thron aufrichten und mich niedersetzen auf den Versammlungsberg im äußersten Norden. Ich will hinaufsteigen auf Wolkenhöhen, dem Höchsten mich gleichmachen." Doch in den Scheol wirst du hinabgestürzt, in die tiefste Grube.

Die Bibel schreibt auch die Engel, die Luzifer nachfolgten. Im 2. Petrus 2,4 steht: *„Denn wenn Gott Engel, die gesündigt hatten, nicht verschonte, sondern sie in finsteren Höhlen des Abgrundes gehalten und zur Aufbewahrung für das Gericht überliefert hat..."* und in Judas 1,6 lesen wir: *„und Engel, die ihren Herrschaftsbereich nicht bewahrt, sondern ihre eigene Behausung verlassen haben, hat er zum Gericht des großen Tages mit ewigen Fesseln unter Finsternis verwahrt..."*

Im 1. Mose 1,2 lesen wir etwas über das, was im geistlichen Bereich vor der Schöpfung der Welt geschah. Dort steht geschrieben: *„Und die Erde war wüst und leer, und Finsternis war über der Tiefe; und der Geist Gottes schwebte über dem Wasser."*

Dieser Vers hat sowohl eine geistliche als auch eine physische

Bedeutung. Er verweist auf das, was im geistlichen Bereich geschehen war und was in der natürlichen Welt passierte.

Geistlich gesehen bedeutet die Aussage „die Erde war wüst", dass die geistliche Ordnung aufgrund der Rebellion Luzifers vorübergehend gestört war. Mit „Erde" ist hier die von Luzifer kontrollierte Welt der Finsternis gemeint. Da Luzifer und die Wesen, die ihm folgten, die von Gott eingesetzte Ordnung verletzten, war die Erde „wüst". Dann heißt es, die Erde sei „leer" gewesen. Das beschreibt das Herz Gottes, nachdem Er von Luzifer, den Er so sehr geliebt hatte, betrogen worden war.

Doch der Aufstand wurde schnell niedergeworfen und die bösen Geister in die tiefsten Tiefen der Hölle, den Abgrund, verbannt. Die Bibel formuliert das so: „... und Finsternis war über der Tiefe." Gott sorgte wieder für Ordnung und Frieden, indem Er die Macht der Finsternis in den Abgrund sandte, was im folgenden Satzteil zu finden ist: „... und der Geist Gottes schwebte über dem Wasser."

Gott schuf die Erde im ersten Himmel

Am Anfang, als die Erde geschaffen wurde, waren die Gegebenheiten nicht die gleichen. Es gab seismische Aktivitäten und Vulkanausbrüche, die tektonischen Platten und die Erdkruste bewegten sich. Es gab auch viele Dinge, die sich in der Atmosphäre abspielten.

Dieser instabile Zustand der Erde wird mit dem Satz ausgedrückt: „die Erde war wüst und leer." Im nächsten Vers heißt es: „und Finsternis war über der Tiefe." Als die Erde geschaffen wurde, gab es also in unserer Galaxie weder Sonne, Mond noch Sterne. Somit war die Erde von Finsternis bedeckt. Als Gott die Erde mit allem Nötigen füllte, gab Er sein Bestes. So wie ein Vater, der für seine Familie ein Haus baut und es sorgfältig ausstattet, füllte Gott die gesamte Erde im Sinn und vollendete Sein Schöpfungswerk entsprechend.

Dieser Prozess wird mit den Worten „der Geist Gottes schwebte über dem Wasser" erklärt. Zu jener Zeit kam Gott auf die Erde. Er ging über die ganze Erde, denn Er wollte sehen, was nötig war und wie Er diese Dinge schaffen würde. Die Bibel sagt, der Geist Gottes bewegte sich „über dem Wasser". Daraus schließen wir, dass die Erde damals vollkommen von Wasser bedeckt war. So wie ein Fötus im Mutterleib im Fruchtwasser ist, war die Erde lange komplett vom Wasser bedeckt, bevor die Schöpfung in sechs Tagen stattfand.

Wo kam dann das Wasser her, das die ganze Erde bedeckte? Es war das Wasser des Lebens, das aus dem Thron Gottes hervorkam. Gott schuf das Wasser des Lebens, als Er den weiten geistlichen Raum schuf und Er brachte jenes Wasser auf die Erde. Der Grund, weshalb Er die Erde mit dem Wasser des Lebens bedeckte, war, dass Er eine gute Umgebung für alle Lebewesen haben wollte, einschließlich der Menschen, die später auf der Erde leben sollten.

Es gibt in unserem Sonnensystem keine anderen Planeten, die so voller Wasser sind wie die Erde. Fakt ist, dass man noch keinen anderen Planeten entdeckt hat, auf dem es ausreichend Wasser gibt, um Leben zu ermöglichen. Gott brachte das Wasser des Lebens wie erwähnt auf die Erde und schuf damit die Umgebung, die Lebewesen zum Überleben brauchen würden.

Gottes Vorsehung bei der Scheidung von Licht und Finsternis

Endlich begann Gott mit dem ersten Tag Seiner Schöpfung. In 1. Mose 1,3-4 lesen wir: *„Und Gott sprach: Es werde Licht! Und es wurde Licht. Und Gott sah das Licht, dass es gut war; und Gott schied das Licht von der Finsternis."* Gott sagte: „Es werde Licht!" Das an dieser Stelle erwähnte Licht ist geistliches Licht – nämlich jenes Licht, welches aus dem Thron Gottes hervorgeht. Es hat die Kraft Gottes und Sein göttliches Wesen. Gott bedeckte die Erde mit diesem Licht und legte den Grundstein für die Erde, so dass sie nicht mehr wüst und leer war; so konnte eine systematische Ordnung hergestellt werden.

Im 1. Mose 1,4-5 lesen wir dann: *„Und Gott sah das Licht, dass es gut war; und Gott schied das Licht von der Finsternis. Und Gott nannte das Licht Tag, und die Finsternis nannte er Nacht. Und es wurde Abend, und es wurde Morgen: ein Tag."* Nachdem Er dem Licht befohlen hatte, zu existieren, waren die grundlegenden Regeln für die natürliche Ordnung auf der Erde geschaffen. Und obwohl es weder Sonne noch Mond gab, funktionierte die Erde als wären Sonne und Mond bereits erschaffen worden. Mit anderen Worten, Tag und Nacht entstanden auf der Erden nicht durch Sonne und Mond. Die Ordnung von Tag und Nacht waren bereits von Gott festgelegt worden und erst anschließend wurden Sonne und Mond geschaffen, um über Tag und Nacht zu regieren.

Die Trennung von Tag und Nacht hat eine größere geistliche Bedeutung als die physische Trennung. Sie bedeutet, dass Gott am ersten Tag der Schöpfung Luzifer und einige der gefallenen Engel aus der Tiefe freiließ und dass das Reich der bösen Geister geformt wurde. Gott wusste, dass geistliches Licht und die Finsternis für die menschliche Zivilisation nötig war, so wie es auf der Erde den Tag- und Nachtzyklus gibt. Er hatte alles von Anfang an geplant. Dann kam die Zeit, als Er Luzifer, der Ihn betrügen würde, Macht gab, damit dieser über die Finsternis herrschen konnte.

Das heißt allerdings nicht, dass Er ihm die gleiche Macht gab, die Er, als Meister und Besitzer des weiten Universums hatte. Der einzige Grund, warum Er zuließ, dass es Luzifer und seine bösen Geister gibt, war die menschliche Zivilisation, so dass es in ihr fair und gerecht zugehen würde. Ursprünglich gehörte Luzifer, der Herrscher der Finsternis, zum Licht. Doch er verließ das Licht und in ihm fand sich Unrecht wieder. Er steht immer noch unter der ultimativen Macht und Autorität Gottes.

Gott schuf im zweiten Himmel Raum für die Finsternis

In 1. Mose 1,6-8 heißt es: *„Und Gott sprach: Es werde eine Wölbung mitten im Wasser, und es sei eine Scheidung zwischen* *dem Wasser und dem Wasser! Und Gott machte die Wölbung und schied das Wasser, das unterhalb der Wölbung, von dem Wasser, das oberhalb der Wölbung war. Und es geschah so. Und Gott nannte die Wölbung Himmel. Und es wurde Abend, und es wurde Morgen: ein zweiter Tag."*

Mit dem Wasser des Lebens, das aus von Seinem Thron floss, stabilisierte Gott die Erde, die für die menschliche Zivilisation gedacht war. Dann schuf Er die Wölbung. Diese Wölbung über der Erde bezieht sich auf die Atmosphäre, die geschaffen wurde. Dann teilte Gott das Wasser, welches die Erde bedeckte, in das Wasser darunter und darüber.

Das Wasser unter der Wölbung ist das Wasser, was auf der Erde blieb. Am dritten Tag der Schöpfung wurde das Wasser an einem Ort gesammelt, um den Ozean zu bilden und der wurde zur Quelle für andere Gewässer, wie Flüsse und Seen auf der Erde. Das Wasser über der Wölbung war für meteorologische Wettererscheinungen bestimmt, wie die Bildung von Wolken und Niederschlägen, doch in der Hauptsache war das Wasser für den Garten Eden gedacht.

In der Bibel heißt es, dass die „Wölbung" sich nicht nur auf den Himmel, den wir sehen können, bezieht. Im 1. Mose steht, dass Gott in den sechs Tagen der Schöpfung alles als „gut" bezeichnete, außer am zweiten Tag. Am zweiten Tag proklamierte Er nicht, dass es „gut" war. Der Grund dafür ist, dass Er am zweiten Tag zuließ, dass sich die Finsternis im zweiten Himmel bildete – und zwar für die bösen Geister, die „Mächte der Luft", die später im Verlaufe der Menschheitsgeschichte instrumentalisiert wurden.

In Epheser 2,2 heißt es: *"…in denen ihr einst wandeltet gemäß dem Zeitlauf dieser Welt, gemäß dem Fürsten der Macht der Luft, des Geistes, der jetzt in den Söhnen des Ungehorsams wirkt."* Das zeigt uns, dass der Ort der Finsternis, wo die bösen Geister leben, die „Luft" ist. Es ist der Ort östlich vom Garten Eden. Dort wird es böse Geister geben, solange die menschliche Zivilisation existiert.

Natürlich ist der Garten Eden im zweiten Himmel – wie auch der Ort für das sieben Jahre währende Hochzeitsmahl, welches am Ende der Menschheitsgeschichte gefeiert wird. Doch weil der Raum der Finsternis, wo die bösen Geister Macht haben, gebildet wurde, sagte Gott am zweiten Tag nicht, dass es „gut" war.

Die Welt der bösen Geister

Bevor er der Herrscher der Finsternis wurde, hatte Luzifer viele Dinge gesehen und gelernt, während er so nahe bei Gott dem Vater war. Er sah, wie Gott den riesigen geistlichen Raum durch Engel und Cherubim regierte. Als Luzifer die Welt der bösen Geister bildete, ahmte er Gottes Methoden nach, indem er zwei Befehlsketten einrichtete, um Befehle zu erlassen und in der finstern Welt zu herrschen. Eine davon ist die Befehlskette für Drachen und ihre Engel und die andere ist für Satan und seine Dämonen.

Zunächst gab Luzifer den Drachen praktische Autorität ähnlich wie bei Generälen in einer Armee. Dann organisierte er die Engel unter ihrer Führung, damit sie diese unterstützen würden. Die vier Drachen, die die „Macht der Luft" haben, kontrollieren die Männer der Finsternis, um ihre Anbetung zu bekommen. Die Drachen dringen in die Orte für Götzendienst ein, was dazu führt, dass die Menschen sie anbeten.

Luzifer kontrolliert das „hinter den Kulissen", indem er durch Satan wirkt. Dieser kontrolliert die unwahren Gedanken von Menschen, weil sein Herz und seine Gedanken die gleichen sind wie die von Luzifer. Satan hat keinen festen Leib und erscheint als schwarzer Rauch. Aus diesem Grund haben diejenigen, die die Werke des Satans empfangen, eine Art schwarze Wolke um ihr Gesicht. Bei manchen Menschen umgibt der schwarze Rauch ihren ganzen Körper vom Scheitel bis zur Sohle.

Es ist das Wirken des Teufels, das Menschen dazu aufhetzt, Gedanken in die Tat umzusetzen, die nicht wahrhaftig sind. Manche der gefallenen Engel wurden freigesetzt und agieren als Dämonen. Der Teufel tut das Gegenteil von dem, was Engel tun. Er trägt dabei vollkommen schwarze Kleidung.

Wenn jemand Böses tut, so wie der Teufel ihn dazu anstiftet, macht der Dämon ihn sich so stark zum Untertan, wie der Mensch ihm sein Herz gibt. Dämonen sind böse Geister, aber sie sind keine geistlichen Wesen, die wie die Engel von Gott geschaffen wurden. Sie waren früher Menschen, die auf dieser Erde lebten. Manche Menschen, die starben, ohne gerettet gewesen zu sein, verlassen diese Welt und handeln danach als Werkzeuge von bösen Geistern.

Die Welt der bösen Geister wurde von Luzifer, ihrem Anführer, geschaffen und sie stören das Wirken Gottes. Alle ihre Bemühungen zielen darauf ab, immer mehr Menschen auf den Pfad der Hölle zu führen. Der Grund, warum Gott dem Luzifer und den bösen Geistern die Macht der Finsternis gab, ist, dass Er durch die menschliche Zivilisation echte Kinder haben will. Echte Kinder sind diejenigen, die im Licht leben und die Wahrheit Gottes widerspiegeln. Sie glauben an Gott, den Retter Jesus Christus und sie lieben und gehorchen Ihm aus freien Stücken.

Die Welt der bösen Geister kann mit Dünger verglichen werden, den ein Landwirt auf seine Felder austrägt. Chemischer Dünger enthält Gifte und ist schädlich für die Menschen, wenn er durch die Nahrung aufgenommen wird. Doch wenn er eingesetzt wird, hilft er dabei, eine gute Ernte zu ermöglichen. Ähnlich erkennen wir an den Werken Luzifers und der bösen Geister, die gegen Gott sind und Seine Kinder zur Sünde verführen, wie schmutzig die Finsternis ist und wie kostbar dagegen das Licht erscheint. Darum sehnen wir uns umso mehr nach dem Licht und wünschen uns, Kinder des Lichtes zu werden. So gesehen helfen Luzifer und die bösen Geister der menschlichen Zivilisation.

Gott gab dem Menschen einen freien Willen, so dass er sich selbst zwischen Licht und Finsternis entscheiden kann. Er wohnt im Licht und so ist es nur natürlich, dass diejenigen, die

Ihn lieben, im Licht und näher bei Ihm sein wollen. Dadurch gewinnt Gott echte Kinder. Wir bezeichnen diesen Prozess als menschliche Zivilisation. Gott ist das wahre Licht und diejenigen, die sich von der Finsternis abwenden und ins Licht Gottes kommen, werden Ihm ähnlich. Von ihnen kann man behaupten, dass sie wahre Kinder Gottes sind. Sie werden in der Ewigkeit mit dem Herrn an einem Ort des Lichtes leben. Sie werden glücklich sein und Er wird ihnen für immer Herrlichkeit verleihen.

Bereiche für Licht und Finsternis koexistieren im zweiten Himmel

Der Raum des Lichtes wird von Gott regiert. Er umfasst Eden im zweiten Himmel, den dritten Himmel sowie den vierten, wo sich der ursprüngliche Bereich Gottes befindet.

Im zweiten Himmel existieren die Bereiche für Licht und Finsternis nebeneinander. Wie oben erklärt teilte Gott Licht und Finsternis am ersten Tag der Schöpfung. Luzifer und die bösen Geister wurden am ersten Tag freigelassen und wohnten im finsteren Bereich im zweiten Himmel ab dem zweiten Tag der Schöpfung. Gott hat ihnen gestattet in diesem Bereich im zweiten Himmel zu bleiben, solange es die menschliche Zivilisation gibt.

Welche Art von Räumen gibt es im Bereich des Lichtes im zweiten Himmel?

Einer davon ist der Ort für das sieben Jahre währende Hochzeitsfest, das der Herr vorbereitet hat. Die geretteten Seelen, die die Frucht der menschlichen Zivilisation darstellen, werden eines Tages an diesem Bankett teilnehmen. In 1. Thessalonicher 4,17 heißt es dazu: *„danach werden wir, die Lebenden, die übrig bleiben, zugleich mit ihnen entrückt werden in Wolken dem Herrn entgegen in die Luft; und so werden wir allezeit beim Herrn sein."* Mit der „Luft" ist in diesem Vers der Raum des Lichtes im zweiten Himmel gemeint.

Der andere Bereich im Licht ist der Garten Eden. Viele Leute meinen, der Garten sei auf der Erde gewesen. Darum haben manche in Israel und in anderen Teilen des Nahen Ostens danach gesucht. Doch bisher hat niemand eine Spur vom Garten Eden finden können. Der Grund dafür ist, dass sich der Garten Eden nicht auf der Erde, sondern im zweiten Himmel und damit im geistlichen Raum befand.

Gott schuf den ersten Menschen, Adam, auf der Erde und führte ihn später in den Garten Eden. Adam war zwar vom Staub der Erde geschaffen worden, aber er war kein physisches Wesen. Im 1. Mose 2,7: *„[D]a bildete Gott, der HERR, den Menschen, aus Staub vom Erdboden und hauchte in seine Nase Atem des Lebens; so wurde der Mensch eine lebende Seele."* Adam wurde ein lebendiges Wesen, ein lebendiger Geist, weil Gott ihm den Lebensodem schenkte. Da Adam ein geistliches Wesen war, war nicht der physische Bereich, sondern der Garten Eden für ihn geeignet, denn er befand sich im zweiten Himmel.

Der Garten Eden ist eine geistliche Welt, unterscheidet sich allerdings vom himmlischen Königreich im dritten Himmel. Es handelt sich um eine geistliche Welt, aber wenn die Menschen von dort auf diese Erde kommen, können wir sie sehen und berühren. Die Umwelt im Garten Eden ähnelt der auf der Erde. Allerdings sterben dort weder Pflanzen noch Tiere, weil es ein geistlicher Raum ist. Er ist vollkommen rein und sauber und die natürliche Umgebung bleibt bewahrt. Die unermessliche Weite geht über unsere Vorstellungskraft hinaus. Da Adam ein lebendiger Geist war, schuf Gott ihm neben der Erde auch noch den Garten Eden im zweiten Himmel.

Der dritte und der vierte Himmel

Der dritte Himmel ist der Ort, an dem sich das Königreich der Himmel befindet. Dort steht der Thron Gottes und es ist genug Raum für die durch Jesus Christus erretteten Kinder Gottes, damit sie dort für immer leben können. Der Apostel Paulus wurde in den dritten Himmel geführt und sah das Paradies. Darüber hinaus lesen wir in Offenbarung 21, wie der Apostel Johannes Einzelheiten über das neue Jerusalem erläuterte. So sehen wir, dass das Königreich der Himmel nicht wie ein offener Raum ist, sondern dass es dort viele verschiedene Orte gibt.

Erstens ist das Paradies, welches der Apostel Paulus sah, ein Wohnort für die Gläubigen, die gerade genug Glauben hatten, um gerettet zu werden (Lukas 23,42-43). Diejenigen, die größeren Glauben als diese Menschen haben, kommen ins erste Königreich der Himmel und die noch größeren Glauben haben, kommen ins zweite Königreich der Himmel.

Diejenigen, die alle Formen des Bösen abgelegt haben und geheiligt wurden, kommen ins dritte Königreich der Himmel. Die Leute, die nicht nur alles Böse abgelegt, sondern auch einen Glauben entwickelt haben, der Gott gefällt, die also ganz vom Heiligen Geist erfüllt sind, kommen ins neue Jerusalem, wo sich der Thron Gottes befindet. Von den verschiedenen Orten im dritten Himmel erstrahlt das neue Jerusalem im hellsten Glanz. Dieser nimmt ab, je weiter man sich vom neuen Jerusalem entfernt. Das Paradies hat die geringste Helligkeit. Aber dennoch kann der erste Himmel, in dem wir leben, nicht damit verglichen werden. Es ist immer noch strahlender und schöner als der Garten Eden im zweiten Himmel.

Der vierte Himmel ist der Ort, an dem Gott am Anfang allein existierte. Es ist der Ort, der exklusiv für den dreieinigen Gott da ist. Der Ort, an dem Gott ursprünglich als Licht lebte, ist genau dieser vierte Himmel. Es ist dieselbe Dimension wie die des ursprünglichen Universums. Im ersten, zweiten und dritten Himmel gibt es jeweils unterschiedliche Zeitschienen. Über den vierten Himmel lässt sich sagen, dass dort der Fluss der Zeit kaum existiert. Da ist nichts an die Grenzen der Zeit gebunden; auch kann Gott alles tun, was Er möchte. Das bedeutet wiederum, dass es dort keine räumlichen Grenzen gibt.

Niemand außer dem dreieinigen Gott darf einfach so in diesen Raum eintreten. Nur ein paar Erzengel und ganz besondere Personen von denen im neuen Jerusalem können ihn mit Gottes Erlaubnis betreten. Würde jemand diesen Ort ohne Gottes Zustimmung betreten, würde sein Geist sich auflösen und wie Rauch verwehen.

Bisher haben wir den riesigen geistlichen Raum betrachtet. Gott hat den ursprünglichen Raum in den ersten, zweiten, dritten und vierten Himmel geteilt, was Teil Seines Planes war, um echte Kinder zu haben. So wie es verschiedene Ebenen des „Himmels" gibt, gibt es diese auch für die Sphären der „Erde". Dabei handelt es sich um das obere Grab, das untere Grab, die Hölle und den Abgrund.

Das obere und untere Grab

Gott bezeichnet den Ort, der Ihm gehört als „Himmel" und den Ort, der dem Feind, dem Teufel, gehört als „Erde". Aber es gibt eine Ausnahme – und zwar das obere Grab.

Diejenigen, die gerettet wurden, bleiben drei Tage lang im oberen Grab, bevor sie in einen Wartesaal im Paradies kommen. Das obere Grab gehört zur „Erde" und nicht zum „Himmel" im geistlichen Raum. Das heißt aber nicht, dass es der Finsternis gehört. Das obere Grab ist auch ein Bereich des Lichtes, der Gott gehört und wo der Teufel, Satan, nicht hinein darf. Es unterscheidet sich klar vom unteren Grab, welches unter der Herrschaft der Finsternis ist. Das obere Grab ist ein Bereich von

Wahrheit und Licht.

Der Grund, warum es dennoch zur „Erde" gehört ist, dass es nicht besser ist als der im zweiten Himmel befindliche Garten Eden. Darum spricht die Bibel davon, dass diejenigen, die gerettet werden und in das obere Grab kommen, „hinab" und nicht nach „hinauf" gehen.

In 1. Mose 37,35 lesen wir: „*Und alle seine Söhne und alle seine Töchter machten sich auf, um ihn zu trösten; er aber weigerte sich, sich trösten zu lassen, und sagte: Nein, sondern in Trauer werde ich zu meinem Sohn in den Scheol hinabfahren. So beweinte ihn sein Vater.*" Mit „Scheol" ist nicht das untere Grab gemeint, das die erwartet, die nicht gerettet wurden, sondern das obere Grab für die Erretteten.

In 1. Samuel 28,12-13 heißt es: „*Als aber die Frau Samuel sah, schrie sie laut auf und sagte zu Saul: Warum hast du mich betrogen? Du bist ja Saul! Und der König sagte zu ihr: Fürchte dich nicht! Nun, was siehst du? Die Frau antwortete Saul: Ich sehe einen Geist aus der Erde heraufsteigen.*" Das ist die Stelle, wo die Frau, die ein Medium war, erschrak, als sie den toten Samuel sah. Dieser war im oberen Grab. Darum steht geschrieben, dass er heraufgestiegen war.

Natürlich hatte dieses Medium nicht wirklich den Geist von Samuel heraufbeschworen. Zauberer und Medien haben keine Macht, um mit Gott zu kommunizieren oder tote Geister zu rufen. Sie können nur den Bereich der Finsternis kontaktieren und Dämonen rufen.

Es war damals jedoch eine besondere Situation. Gott brachte Samuel, der im oberen Grab war, heraus, um jenen Leuten den Willen Gottes zu zeigen. Saul war wegen seines Ungehorsams bereits von Gott verlassen worden, doch Gott erwies ihm eine besondere Gnade, weil er immer noch König von Israel war. Auch erinnerte sich Gott daran, dass Samuel getrauert und tränenreich dafür gebetet hatte, dass Saul sich vor seinem Tod noch von seinen bösen Wegen und seinem Ungehorsam abwenden würde.

Samuel war deshalb noch im oberen Grab, weil sich die Geschichte ereignete, bevor Jesus das Kreuz auf sich nahm. Erst nachdem Er am Kreuz gestorben und wieder auferstanden war, brachte Er die Seelen aus dem oberen Grab in den Wartesaal im Paradies. Vor der Auferstehung Jesu blieben gerettete Seelen im oberen Grab bei Abraham, dem Vater des Glaubens, der für diesen Bereich verantwortlich ist. Darum lesen wir in der Bibel, dass errettete Seelen in „Abrahams Schoß" kommen. In Lukas 16,22 heißt es: *„Es geschah aber, dass der Arme starb und von den Engeln in Abrahams Schoß getragen wurde. Es starb aber auch der Reiche und wurde begraben."*

Die Bibel unterscheidet nicht klar zwischen dem oberen und dem unteren Grab. Dort heißt es lediglich, dass Menschen in den Scheol hinabfahren, der auch als Hades bekannt ist. Doch beim Gleichnis über den reichen Mann und den armen Lazarus sprach Jesus von unterschiedlichen Orten für diejenigen, die errettet sind und für die, die es nicht sind. Lazarus war errettet und kam in den Schoß Abrahams – also ins obere Grab. Und dieser Ort unterscheidet sich vom unteren Grab, wo der Reiche hinkam. Zwischen beiden gibt es einen großen Abstand, wobei man von einem nicht in den anderen gehen kann, um einander zu besuchen. Wenn wir den geistlichen Raum in Himmel und Erde teilen, sagen wir, dass das obere Grab zur Erde gehört, es befindet sich definitiv im Raum des Lichtes, der Gott gehört.

In der Hölle gibt es den Feuersee und den See, der mit Schwefel brennt

Im Bereich der Finsternis gibt es neben dem unteren Grab auch noch den Feuersee und den Schwefelsee (aus brennendem Schwefel). Wenn nicht gerettete Menschen sterben, leiden sie erst im unteren Grab und kommen nach dem Jüngsten Gericht in den Feuer- oder Schwefelsee. Am Jüngsten Tag werden keine Fehler gemacht, weil dem Gericht das Buch des Lebens zugrunde gelegt wird. Darin stehen die Namen all derer, die errettet wurden – ebenso werden andere Bücher herangezogen, in denen die Taten der Menschen festgehalten sind.

Die Offenbarung 20,12-15 beschreibt das Gericht wie folgt:

Und ich sah die Toten, die Großen und die Kleinen, vor dem Thron stehen, und Bücher wurden geöffnet; und ein anderes Buch wurde geöffnet, welches das des Lebens ist. Und die Toten wurden gerichtet nach dem, was in den Büchern geschrieben war, nach ihren Werken. Und das Meer gab die Toten, die in ihm waren, und der Tod und der Hades gaben die Toten, die in ihnen waren, und sie wurden gerichtet, ein jeder nach seinen Werken. Und der Tod und der Hades wurden in den Feuersee geworfen. Dies ist der zweite Tod, der Feuersee. Und wenn jemand nicht geschrieben gefunden wurde in dem Buch des Lebens, so wurde er in den Feuersee geworfen.

Mit den „Toten" sind Menschen gemeint, die entweder Jesus Christus nicht akzeptiert haben oder deren Glauben tot war. Sie werden vor dem Thron Gottes vor Gericht gestellt und dann werden Bücher aufgeschlagen. Diese unterscheiden sich vom Buch des Lebens, in dem die Namen aller Geretteten stehen. In den anderen Büchern stehen alle Taten der Toten, die nicht errettet waren. Nicht nur ihre Taten, sondern auch ihre Gedanken wurden von Engeln schriftlich festgehalten, sondern auch das, was sie von ihrer Geburt bis zu ihrem Tod im Herzen bewegten. Die, die nicht gerettet waren, werden nach der Schwere ihrer Sünden, die in diesen Büchern stehen, gerichtet und bekommen ihre ewige Strafe.

Mit dem „See" ist das Stadium der menschlichen Zivilisation – also diese Welt – gemeint. Der Ausdruck „das Meer gab die Toten" bedeutet, dass sie hier auf Erden lebten. Darüber hinaus bedeutet dies, dass die Erde ihre toten, physischen Leiber für das Gericht hergeben wird. Wenn Menschen sterben, ohne die

Errettung empfangen zu haben, kommt ihr Geist ins untere Grab, während ihr Leib irgendwo auf der Erde wieder zu einer Handvoll Staub wird. Doch beim endgültigen Gericht werden die Geister, die im unteren Grab waren, wieder einen Leib bekommen, der für das Gericht passend ist.

Es steht auch geschrieben: „[D]er Tod und der Hades gaben die Toten, die in ihnen waren." Das bedeutet, dass die, die im unteren Grab waren und wegen ihrer Sünden zum ewigen Tod bestimmt sind, vor Gott stehen und von Ihm verteilt werden. Bis zum Gericht vor dem großen weißen Thron bekommen sie im unteren Grab unterschiedliche Bestrafungen, beispielsweise werden sie von Insekten oder anderen Tieren zerrissen oder von den Botschaftern der Hölle gequält.

Nach dem Jüngsten Gericht fallen sie entweder in den Feuer- oder den brennenden Schwefelsee (Offenbarung 21,8). Die Pein im Feuersee ist viel schmerzvoller als im unteren Grab und lässt sich damit nicht vergleichen. Sie werden leiden und mit Feuer gesalzen werden – an einem Ort, *„wo ihr Wurm nicht stirbt und das Feuer nicht erlischt"* (Markus 9,47-49). Der brennende Schwefelsee ist ein Ort für diejenigen, die schlimm gesündigt haben, beispielsweise haben sie gegen den Heiligen Geist gelästert oder das Wirken des Heiligen Geistes unterbrochen. Er ist siebenmal heißer als der Feuersee.

Der Abgrund

Der tiefste Teil im Bereich der Finsternis ist der Abgrund.

Dorthin kommen die bösen Geister. Nachdem der Herr in der Luft zurückgekehrt ist, feiern die geretteten Kinder Gottes ein sieben Jahre währendes Hochzeitsbankett in der Luft. In dieser Zeit gibt es auf der Erde große Bedrängnis. Die bösen Geister, die in der Luft waren, werden auf diese Erde getrieben und die Macht an sich reißen. Die Welt wird in den Dritten Weltkrieg gezerrt; unsäglich schlimme Tragödien werden sich ergeben, es wird die Hölle auf Erden. Nach der siebenjährigen großen Trübsal werden die bösen Geister in den Abgrund gesperrt und das Tausendjährige Reich bricht auf dieser Erde an.

Die Kinder Gottes, die Hochzeitsfest in der Luft nach sieben Jahren beenden, werden mit dem Herrn auf die Erde kommen und mit Ihm eintausend Jahre lang regieren (Offenbarung 20,4). Die Erde, die durch die siebenjährige Trübsal verwüstet wurde, wird zu dem Zeitpunkt bereits wieder in eine vollkommen erneuerte, wunderschöne Umgebung verwandelt worden sein. Gegen Ende des Tausendjährigen Reiches werden die bösen Geister gemäß der Vorsehung Gottes noch einmal für einen Moment frei kommen. Doch nach dem Gericht vor dem großen weißen Richterstuhl müssen sie wieder in den Abgrund.

Bis zum Jüngsten Gericht kontrollieren Luzifer und seine Botschafter das untere Grab, aber danach werden das untere Grab und die Hölle allein von der Macht Gottes beherrscht. Die bösen Geister werden wie Asche in den Abgrund geworfen, wo es sehr dunkel ist und sich kalt anfühlt. Sie werden eingesperrt sein, ohne sich bewegen zu können, als würden sie von einem großen Felsen erdrückt. Die gefallenen Engel werden weggeworfen – und zwar ohne ihre Flügel, ein Zeichen des Fluches und der Schande.

Weggeworfen zu werden klingt vielleicht nicht so schlimm wie die Pein und Bestrafung in der Hölle, aber dem ist nicht so. So wie der Druck immer stärker wird, je tiefer man sich ins Wasser begibt, wird die Kraft des Fleisches immer größer, je tiefer man in die Hölle geht. Der Abgrund ist der tiefste Teil der Hölle und alle fleischliche Energie wird an jenem Ort komprimiert. Die Bestrafung im Abgrund ist viel furchterregender und schmerzlicher als wenn jemand von den Botschaftern der Hölle im unteren Grab gequält wird oder den Leiden im Feuer- oder Schwefelsee ausgesetzt ist.

Stell dir vor, du wärst von etwas wie einem großen Betonklotz umgeben und könntest dich nicht bewegen. Du bist bei Bewusstsein, kannst aber weder Atmen noch blinzeln. Du bist ein lebendiges Fossil. In diesem Zustand wirst du zum einen verschiedenen Schmerzen ausgesetzt, zum anderen erlebst du der Macht der Verzweiflung und einen Druck, der dich nach unten zwängt, als würdest du aufplatzen.

Luzifer war, bevor er korrupt wurde, sehr von Gott geliebt. Doch auch er wird in diesem ewigen Fluch gefangen sein, weil er sich gegen Gott erhob. Gott bestrafte Luzifer nicht sofort, nachdem dieser korrupt wurde. Er war auch nur ein Geschöpf. Das heißt, Gott hätte ihn augenblicklich zerstören können. Doch das tat Er nicht. Dafür hatte Er einen Grund.

Wir konnten zu echten Kindern Gottes werden, weil Luzifer

als Herrscher der Finsternis im Laufe der Menschheitsgeschichte existierte. Wir können in Kinder des Lichtes verwandelt werden, die Gott ähneln, wenn wir wachsam sind und beten, während der Feind wie ein brüllender Löwe umhergeht und schaut, wen er verschlingen kann. Gott will im neuen Jerusalem, dem Ort des Lichtes, mit Seinen Kindern des Lichtes ewige Freude teilen. Was ist notwendig, um in diesen Raum des Lichtes zu gelangen?

Kapitel 2
Qualifikationen zum Eintreten in den Raum des Lichtes

Licht und Finsternis können nicht nebeneinander existieren.
Um in den Raum des Lichtes einzutreten,
müssen wir die Probleme der Finsternis lösen.
Je mehr wir mit Gott, der Licht ist,
Gemeinschaft pflegen und ein Herz wie Jesus Christus haben,
desto heller ist der Raum des Lichtes, in den wir eintreten dürfen.

Gott wünscht sich Kinder des Lichts

Übe dich in Güte mit einem vom Geist erfüllten Herzen

Trage die Frucht der Gerechtigkeit im Glauben

Trage die Frucht der Wahrhaftigkeit mit entsprechenden Taten

Die Frucht des Lichtes führt uns in den Raum des Lichtes

Der Mensch muss entweder in den Raum des Lichtes oder den Raum der Finsternis gehen, wenn sein Leben hier auf dieser Erde vorbei ist. Da der Geist des Menschen nicht ausgelöscht werden kann, kommt er entweder in den Himmel oder in die Hölle.

In Hebräer 9,27 steht dazu geschrieben: „*Und wie es den Menschen bestimmt ist, einmal zu sterben, danach aber das Gericht.*" Und in Johannes 5,29 heißt es: „*... die das Gute getan haben zur Auferstehung des Lebens, die aber das Böse verübt haben zur Auferstehung des Gerichts.*" Das Leben auf der Erde ist nicht alles. Danach gibt es ein Leben, das ewig ist. Sobald unser physisches Leben vorbei ist, gibt es nur zwei Möglichkeiten und der Mensch kommt wie gesagt entweder in den Himmel oder in die Hölle.

Unser liebender Gott will, dass alle errettet werden und das Glück im Bereich des Lichtes genießen. In 1. Petrus 2,9 heißt es dazu: „*Ihr aber seid ein auserwähltes Geschlecht, ein königliches Priestertum, eine heilige Nation, ein Volk zum Besitztum, damit ihr die Tugenden dessen verkündigt, der euch aus der Finsternis zu seinem wunderbaren Licht berufen hat.*"

Wir wollen prüfen, ob wir als königliche Priester in den Bereich Seines herrlichen Lichtes gehen dürfen.

Gott wünscht sich Kinder des Lichts

In 1. Timotheus 6,16 hat der Apostel Paulus Folgendes zu sagen: *"[Gott] der allein Unsterblichkeit hat und ein unzugängliches Licht bewohnt, den keiner der Menschen gesehen hat, auch nicht sehen kann. Dem sei Ehre und ewige Macht! Amen."* Das bedeutet, dass Gott im Licht wohnt und Er ist ewig und vollkommen. In 1. Johannes 1,5 heißt es: *"Und dies ist die Botschaft, die wir von ihm gehört haben und euch verkündigen: dass Gott Licht ist, und gar keine Finsternis in ihm ist."*

In Jakobus 1,17 lesen wir auch, dass bei Ihm *"keine Veränderung ... noch eines Wechsels Schatten"* ist. Gott ist Licht und Er hat keinen Schatten. Darum sagt uns die Bibel an vielen Stellen, dass wir Kinder des Lichts werden sollen, die Gott widerspiegeln.

In 1. Thessalonicher 5,5 heißt es: *"... denn ihr alle seid Söhne des Lichtes und Söhne des Tages; wir gehören nicht der Nacht und nicht der Finsternis."* In Epheser 5,8-9 steht: *"Denn einst wart ihr Finsternis, jetzt aber seid ihr Licht im Herrn. Wandelt als Kinder des Lichts – denn die Frucht des Lichts besteht in lauter Güte und Gerechtigkeit und Wahrheit."* Und in Matthäus 5,14-16 ist zu lesen: *"Ihr seid das Licht der Welt; eine Stadt, die oben auf einem Berg liegt, kann nicht verborgen* sein. Man zündet auch nicht eine Lampe an und setzt sie unter den Scheffel, sondern auf das Lampengestell, und sie leuchtet allen, die im Hause sind. So soll euer Licht leuchten vor den Menschen, damit sie eure guten Werke sehen und euren Vater, der in den Himmeln ist, verherrlichen."

Licht und Finsternis können nicht nebeneinander existieren. Um in den Raum des Lichtes einzutreten, müssen wir das Problem mit der Finsternis lösen.

Was ist die Finsternis, die wir abwerfen sollen, um Kinder des Lichtes zu werden? Einfach ausgedrückt bezieht sich Finsternis auf alles, das zur Sünde gehört. Es gibt Dinge des Fleisches und Werke des Fleisches, was in *Teil 1 von „Geist, Seele und Leib"* im Einzelnen erklärt wird.

Werke des Fleisches sind Sünden, die tatsächlich begangen werden. Dinge des Fleisches sind Sünden, die im Verstand oder in den Gedanken begangen werden. Beispiele dafür finden wir in Römer 1: Bosheit, Gier, das Böse und Neid. All das ist ungerecht. Auch die in Galater 5 genannten Dinge sind „Werke des Fleisches": Unzucht, Unreinheit, Ausschweifung, Götzendienst, Zauberei, Feindschaften, Streit, Eifersucht, Zornausbrüche, Selbstsüchteleien, Zwistigkeiten, Parteiungen, Neidereien, Trinkgelage und Völlereien.

Es gibt auch Sachen, die nicht aussehen, als wären sie finster, doch sie sind in Gottes Augen böse. So wie Dunkelheit nicht im Licht bestehen kann, werden Sünde und das Böse, die zur Finsternis gehören, offenbar, wenn das Licht der Wahrheit auf sie scheint. Mit dem Wort Gottes, der Licht ist, kann uns die Finsternis, die wir haben, klar werden, die uns bis dahin von allein nicht aufgefallen ist.

So erklärte Jesus zum Beispiel, dass Er bald nach Jerusalem gehen würde, um dort zu sterben. Da Petrus Ihn liebte, versuchte er, Ihn aufzuhalten. Doch Jesus wies ihn zurecht und sagte: *„Geh hinter mich, Satan!"* (Matthäus 16,23).

Petrus dachte, es sei seine Pflicht, Jesus aufzuhalten, doch das entsprach in den Augen Gottes der Finsternis. Es war ja der Wille Gottes, dass Jesus gekreuzigt wurde und so den Weg zur Errettung bahnen würde. Nach dieser heftigen Korrektur wurde Petrus ein demütiger Apostel, der Tote auferweckte und durch dessen Predigt sich allein an einem Tag Tausende von Menschen bekehrten, nachdem Petrus – selbst vom Heiligen Geist getauft – diente.

Wie erwähnt muss jeder, der ins Licht will, die Welt der Finsternis verlassen und wie ein Kind des Lichtes handeln. Schauen wir uns nun an, was wir dafür genau tun müssen.

Die Gerechtigkeit Gottes mit Glauben erlangen

Bevor wir in den Raum des Lichts eintreten können, müssen wir zunächst dafür Buße tun, dass wir nicht an Gott geglaubt haben. Dann müssen wir Jesus Christus annehmen. Alle, die die Vergebung ihrer Sünden empfangen, indem sie an Jesus Christus glauben, qualifizieren sich dafür, in den Raum des Lichtes einzutreten. In Römer 3,22 steht: „*Gottes Gerechtigkeit aber durch Glauben an Jesus Christus für alle, die glauben. Denn es ist kein Unterschied.*"

In Johannes 14,6 ist zudem zu lesen: „*Jesus spricht zu ihm: Ich bin der Weg und die Wahrheit und das Leben. Niemand kommt zum Vater als nur durch mich.*" Und in Römer 10,9 heißt es: „*… dass, wenn du mit deinem Mund Jesus als Herrn bekennen und in deinem Herzen glauben wirst, dass Gott ihn aus den Toten auferweckt hat, du gerettet werden wirst.*"

Wenn wir mit unserem Mund bekennen, dass Jesus Herr ist und in unserem Herzen glauben, dass Gott ihn von den Toten auferweckt hat, bedeutet dies, dass wir an die Vorsehung des Kreuzes und die Macht der Auferstehung glauben. Wir vertrauen also darauf, dass Jesus am Kreuz starb – und zwar für jeden einzelnen von uns, die wir als Sünder allesamt für ewig hätten bestraft werden müssen, weil wir gesündigt haben. Doch Er vergoss Sein kostbares Blut, um uns von unseren Sünden zu retten.

Wenn wir tatsächlich an diese Tatsachen glauben, bekennen wir all unsere Sünden und entscheiden uns dafür, im Licht zu leben – voller Dankbarkeit gegenüber dem Herrn, der für uns gelitten hat. Gott wäscht die Sünden von bußfertigen Menschen mit dem Blut des Herrn ab und gibt ihnen die Gabe des Heiligen Geistes. Er nimmt sie als Seine Kinder an und schreibt ihre Namen ins Buch des Lebens (Offenbarung 20,15; 21,27). Wir können das ewige Leben im Himmel – einem Ort, der ein Raum des Lichtes ist – genießen, wenn wir bekennen, dass wir bis dahin nicht gemäß dem Wort Gottes gelebt haben und dass wir uns von unseren Sünden abwenden, um ein Leben im Licht zu beginnen.

Habt Gemeinschaft mit Gott, der Licht ist

In 1. Johannes 1,6-7 heißt es: *„Wenn wir sagen, dass wir Gemeinschaft mit ihm haben, und wandeln in der Finsternis, lügen wir und tun nicht die Wahrheit. Wenn wir aber im Licht wandeln, wie er im Licht ist, haben wir Gemeinschaft miteinander, und das Blut Jesu, seines Sohnes, reinigt uns von jeder Sünde."* Wenn wir Jesus Christus angenommen und die Gabe des Heiligen Geistes empfangen haben, müssen wir lernen, das Wort Gottes – die Wahrheit – zu praktizieren, bevor wir als Kinder betrachtet werden, die wirklich Gemeinschaft mit Gott haben.

In 1. Johannes 2,3 lesen wir: *„Und hieran erkennen wir, dass wir ihn erkannt haben; wenn wir seine Gebote halten."* Und in 1. Johannes 3,23 steht: *„Und dies ist sein Gebot: dass wir an den Namen seines Sohnes Jesus Christus glauben und einander lieben, wie er es uns als Gebot gegeben hat."*

Wir müssen nicht nur Sünden ablegen, die wir tatsächlich begangen haben, sondern auch das Böse aus unserm Herzen entfernen, so dass wir dem Wort Gottes gegenüber gehorsam sind. Denn Er sagt uns genau, was wir nicht tun und was wir ablegen sollen. Darüber hinaus müssen wir fleißig das in die Tat umsetzen, was Er uns zu tun aufgibt – nämlich uns zu freuen, zu danken, zu lieben, demütig zu sein, anderen zu dienen und die Gebote einzuhalten. Auf diese Weise kultivieren wir mit der Gnade und Kraft Gottes und mit der Hilfe des Heiligen Geistes ein Herz, das dem Herrn gefällt.

Unsere Wohnungen im Himmel unterscheiden sich je nachdem, wie geheiligt wir waren und wie viel Licht wir zu Lebzeiten ausstrahlten, nachdem wir geistlich gesprochen eine gute Person wurden, weil wir die Gemeinschaft mit Gott, der Licht ist, pflegten. Auch wenn wir gerettet sind und uns dafür qualifiziert haben, ins Licht zu treten, müssen wir das himmlische Königreich an uns reißen, bis wir das höchste Ziel, das neue Jerusalem, erreicht haben.

Es gibt bestimmte Maße, anhand derer wir feststellen können, inwieweit wir Kinder des Lichtes geworden sind. Es sind die Folgenden: geistliche Liebe wie in 1. Korinther 13; die neun Früchte des Heiligen Geistes aus Galater 5; die Seligpreisungen aus Matthäus 5 und die Früchte des Lichtes aus Epheser 5. Jetzt wollen wir in die Qualifikationen eintauchen, die zum Eintritt in den Raum des Lichtes nötig sind. Dabei konzentrieren wir uns auf die Frucht des Lichtes.

Übe dich in Güte mit einem vom Geist erfüllten Herzen

In Epheser 5,9 heißt es: *"… denn die Frucht des Lichts besteht in lauter Güte und Gerechtigkeit und Wahrheit."*

Güte bedeutet, ein schönes Herz zu haben, das nicht böse, sondern nur gut ist. Du tust denen, die Not haben, Gutes. Du schadest anderen Leuten nicht. Du gehorchst dem Wort Gottes und gibst bei allen Arbeiten, die dir anvertraut werden, dein Bestes, weil du Gott den Schöpfer kennst – so wie wir die Gnade unserer Eltern kennen.

In der Welt sagen die Leute, du seist gut, wenn du Böses nicht mit Bösen heimzahlst, sondern es erträgst. Doch wenn du dich dabei unbehaglich fühlst oder deine Gedanken hasserfüllt sind, kannst du dann wirklich als gut bezeichnet werden? Die Güte der Menschen und die Güte Gottes sind zwei verschiedene Dinge. Die erste Ebene der Güte, die Gott anerkennt, ist nicht, dass man Böses nicht mit Bösem vergilt, sondern dass man dabei auch keine negativen Gefühle hat.

Das war bei Josef, dem Ehemann der Jungfrau Maria, der Fall. In Matthäus 1,19 lesen wir: *„Josef aber, ihr Mann, der gerecht war und sie nicht öffentlich bloßstellen wollte, gedachte sie heimlich zu entlassen."* Wie schlecht muss sich Josef gefühlt haben, als er herausfand, dass seine Verlobte Maria schwanger war, ohne dass sie mit ihm geschlafen hatte? Normalerweise hätte es ihm das Herz gebrochen oder er hätte mit ihr gestritten. Doch Josef ließ nichts Böses in sein Herz. Er wollte sie nur still verlassen.

Die zweite Ebene der Güte ist es, wenn uns jemand etwas Böses antut, wir dabei keine schlechten Gefühle haben und der Person stattdessen etwas Gutes sagen und tun. Der Feind, Satan, kann gegen jemanden, der diese Ebene der Güte erreicht hat, nichts tun.

Ohne etwas falsch gemacht zu haben, wurde David von König Saul lange Zeit verfolgt. Und dann hatte er eines Tages die perfekte Gelegenheit, Saul zu töten. David war zum Kämpfen ausgezogen und hatte für sein Land viele Siege errungen. Doch Saul war so eifersüchtig, dass er ihm dafür nicht einmal danken konnte. Er verfolgte David mit seiner Armee und versuchte, ihn zu ermorden.

Eines Tages ging Saul in eine Höhe, in der sich David versteckte. Er hätte Saul leicht töten können, schnitt aber nur etwas vom Saum seines Gewandes ab. Als er die Höhle wieder verließ, rief er Saul zu: *„Sieh, mein Vater, ja, sieh den Zipfel deines Oberkleides in meiner Hand! Denn dass ich einen Zipfel deines Oberkleides abgeschnitten und dich nicht umgebracht habe, daran erkenne und sieh, dass meine Hand rein ist von Bosheit und Aufruhr! Ich habe mich nicht an dir versündigt. Du aber stellst meinem Leben nach, um es mir zu nehmen"* (1. Samuel 24,12).

David rief nach Saul, der ihn verfolgte und seinen Tod plante. Doch er nannte ihn seinen Vater und demütigte sich. Er wollte das Herz von Saul wirklich trösten und beschrieb sich als Hund und als Floh. David hatte nicht die Absicht, Saul zu töten. Saul war zwar böse, aber als er dieses Bekenntnis hörte, berührte Davids Güte ihn tief und er vergoss Tränen. In 1. Samuel 24,17-18 lesen wir: *„Ist das nicht deine Stimme, mein Sohn David? Und Saul erhob seine Stimme und weinte. Dann sagte er zu David: Du bist gerechter als ich. Denn du hast mir Gutes erwiesen, ich aber habe dir Böses erwiesen."*

Er war angerührt und kehrte nach Hause zurück. Wenn wir Böses nicht mit Bösem, sondern mit Gutem vergelten, kann Satan nichts tun und selbst böse Personen werden angerührt. Natürlich war Saul so böse, dass seine Bosheit später wieder zum Vorschein kam, aber zumindest in dem Moment vertrieb das Licht von Davids Güte die Dunkelheit und Saul ging weg.

Es gibt aber noch eine höhere Ebene der Güte, als dass man die Herzen anderer Menschen berührt – nämlich, indem wir unsere Feinde lieben und unser Leben selbst für die geben, die uns Böses antun. Es war die Güte Gottes, der Seinen eingeborenen Sohn sandte, und es war die Güte Jesu Christi selbst. Er war und ist der heilige Sohn Gottes und doch gab Er Sein Leben für die gesamte Menschheit.

Wir sehen diese Ebene der Güte auch bei Mose und Paulus. Als Gott das Volk Israel wegen seiner Sünden zerstören wollte, betete Mose, dass es gerettet würde, selbst wenn dafür sein Name aus dem Buch des Lebens hätte gestrichen werden müssen (2. Mose 32,32). Und der Apostel Paulus sagte: *„[D]enn ich selbst, ich habe gewünscht, verflucht zu sein von Christus weg für meine Brüder, meine Verwandten nach dem Fleisch"* (Römer 9,3).

Stephanus wurde zum Märtyrer, während er das Evangelium predigte. Er hegte keine Ressentiments, obwohl er unschuldig gesteinigt wurde. Stattdessen rief er mit lauter Stimme zum Herrn: *„Herr, rechne ihnen diese Sünde nicht zu!"* (Apostelgeschichte 7,60).

Heute meinen die Leute, du verlierst nur und wirst als Narr bezeichnet, wenn du ehrlich und anderen gegenüber nett bist. Doch Gott ist die Güte in Person und Er schützt uns mit Seinen glühenden Augen, mit dem feurigen Schutz des Heiligen Geistes, mit den himmlischen Heerscharen und Seinen Engeln, wenn wir der Güte nachjagen. Dann kommen keine Prüfungen mehr und selbst wenn sie kommen, bestehen wir sie mit Güte. Das bringt uns wiederum größeren Segen und Wohlstand in allen Bereichen. Natürlich müssen wir uns manchmal selbst opfern und uns mehr investieren, um Güte zu demonstrieren. Doch diejenigen, die gut sind, sehen diese Dinge nicht als schwierig an. Stattdessen bereitet es ihnen Freude, Güte zu praktizieren. Geistlich stark zu sein bedeutet, keine Sünde zu haben. Unser geistliches Licht wird umso stärker, je mehr wir das Böse abwerfen und Güte entwickeln. Wenn wir die Ebene der Güte erreichen, die Gott anerkennt, kann der Böse uns wegen unseres Lichtes nichts anhaben und wir werden in der Lage sein, die Intrigen von Satan, dem Feind, zu zerstören. (1. Johannes 5,18).

Trage die Frucht der Gerechtigkeit mit Glauben

Die zweite Frucht des Lichtes ist Gerechtigkeit. Allgemein heißt Gerechtigkeit, dass man in seinem Leben auf das richtige Ziel hinarbeitet, ohne dabei nach dem seinen zu suchen. Doch die Gerechtigkeit in der Wahrheit beinhaltet das Ablegen von Sünde, das Einhalten der Gebote in der Bibel und das Trachten nach dem Königreich Gottes und Seiner Gerechtigkeit im

Einklang mit Seinem Willen. Daniel ist eines der besten Beispiele für jemanden voller Gerechtigkeit.

Daniel war Teil einer königlichen Familie aus dem Stamme Juda. Er geriet im Jahr 605 vor Christus in Gefangenschaft, als der babylonischen König Nebukadnezar in Juda, das heißt im südlichen Königreich, einfiel. Als Babylon talentierte Männer aller Rassen rekrutierte, wurden Daniel und seine drei Freunde ausgewählt. Er arbeitete lange Jahre als hoher Beamter in Babylon. Obwohl er ein Gefangener war, hatte er ein hohes Amt inne und war als echter Prophet Gottes anerkannt. Der Grund dafür war, dass er sich vollkommen auf Gott verließ und an seinem Glauben festhielt.

Als er das erste Mal vor den König von Babylon trat, war er ein junger Mann. Er war drei Jahre lang ausgebildet worden und musste das vom König ausgewählte Essen akzeptieren. Er dachte allerdings, dass diese erlesenen Speisen Dinge enthielten, die von Gott verboten worden waren. So wollte er sie nicht essen. Als Gefangener hatte er eigentlich keine andere Wahl. Dennoch hasste er das, was Gott hasste, und weigerte sich, es zu essen.

Um an seinem Glauben an Gott festzuhalten und sich nicht zu verunreinigen, bat er den Aufseher, ihm und seinen drei Freunden zu erlauben, anstatt der königlichen Speisen nur Gemüse zu essen. Sie wollten als Probelauf zehn Tage lang nur Hülsenfrüchte und Wasser zu sich nehmen. Als der Aufseher sie anschließend mit den anderen jungen Männern verglich, sahen Daniel und die drei Freunde besser aus.

Gott sah ihren Glauben und segnete sie auf eine erstaunliche

Weise. In Daniel 1,17 lesen wir: „*Und diesen vier jungen Männern, ihnen gab Gott Kenntnis und Verständnis in jeder Schrift und Weisheit; und Daniel verstand sich auf Visionen und Träume jeder Art.*" In Vers 20 heißt es: „*Und in jeder Angelegenheit, die der König von ihnen erfragte und die ein verständiges Urteil erforderte, fand er sie allen Wahrsagepriestern und Beschwörern, die in seinem ganzen Königreich waren, zehnfach überlegen.*"

Im Jahr 539 vor Christus während der Regierungszeit von König Belsazar, dem Sohn von König Nebukadnezar, wurde Babylon von Persern und Medern zerstört. Eine neue Nation, das Persische Reich, ersetzte Babylonien. König Darius von Persien wollte Daniel als Minister ernennen, der das ganze Land regieren sollte, weil Daniel einen außergewöhnlichen Geist hatte. Daniel, ein Gefangener, stand hoch in seiner Gunst, selbst nachdem es einen Machtwechsel gegeben hatte.

Andere Minister und Führungspersönlichkeiten waren auf Daniel eifersüchtig und wollten ihn irgendwie anklagen (Daniel 6,4-5). Doch sie konnten nichts finden, was sie ihm ankreiden konnten. Da machten sie dem König einen Vorschlag, wobei sie ihm vorspielten, sie stünden auf seiner Seite. Sie sagten, sie wollten alle in die Löwengrube werfen, der innerhalb der folgenden dreißig Tage zu irgendeinem anderen Gott oder Menschen beteten als zum König. Sie dachten sich diese Intrige nur wegen Daniel aus, weil sie wussten, dass er dreimal am Tag bei offenem Fenster in Richtung Jerusalem betete.

Obwohl Daniel das wusste, kniete er sich dennoch dreimal

täglich hin, um zu beten (Daniel 6,10). Er hätte Kompromisse eingehen können, um seinen Ruhm und seine Macht zu behalten oder einfach, um nicht sterben zu müssen. Doch er verließ sich vollkommen auf Gott. Schließlich wurde er in die Löwengrube geworfen, weil er gegen das neue Gesetz verstoßen hatte. Er hegte deswegen allerdings keine bösen Gefühle gegenüber dem König. Stattdessen segnete er ihn und rief: „Lang lebe der König!" Er praktizierte Gerechtigkeit, unabhängig davon wie schlimm die Situation war.

Er hatte keine Fehler und ließ sich vor Gott und den Menschen nichts zu Schulden kommen. Aus diesem Grund konnte der Feind, Satan, Daniel trotz all seiner teuflischen Pläne nichts antun. Gott sandte Seine Engel, um Daniel zu beschützen. Er kam lebendig aus der Grube heraus und gab Gott alle Ehre. Die Art von Gerechtigkeit, die Gott sich wünscht, beinhaltet, dass wir an unserem Glauben festhalten und selbst angesichts des Todes keine Kompromisse eingehen. Es bedeutet, dass wir der Güte wahrhaftig nachjagen, egal wie andere Leute sich uns gegenüber verhalten.

Trage die Frucht der Wahrhaftigkeit mit entsprechenden Taten

Die dritte Frucht des Lichtes ist die Wahrhaftigkeit. Wahrhaftigkeit sollte unveränderlich sein. Sie umfasst auch Reinheit, Ehrlichkeit und Unschuld – ohne jegliche Falschheit, List oder Gerissenheit. Selbst wenn du fleißig Gutes tust und deinen Glauben bekennst, kann dies von Gott nicht als echte Frucht des Lichtes betrachtet werden, solange du dich damit vor anderen brüstest. Anders ausgedrückt, was Gott sich von uns wünscht, ist ein echtes Bekenntnis zum Glauben, wahrhaftiges Tun und unveränderliche Wahrhaftigkeit, die aus unserem Herz entspringt.

In 1. Mose 22 sehen wir, wie Abraham dem Wort Gottes gehorchte, als Er ihm sagte, er solle seinen Sohn Isaak als Brandopfer darbringen. Früh am Morgen machte er sich mit Isaak auf den Weg zu dem Ort, den Gott dafür vorgesehen hatte. Abraham zögerte nicht. Er hatte auch keinen innerlichen Kampf auszufechten. Erst in dem Augenblick, als er Isaak opfern wollte, rief der Engel Gottes ihm zu, er sollte dem Jungen nichts antun. Gott sagte daraufhin: „... *nun habe ich erkannt, dass du Gott fürchtest*" (1. Mose 22,12).

In Hebräer 11,19 steht: „... *indem er dachte, dass Gott auch aus den Toten erwecken könne, von woher er ihn auch im Gleichnis empfing.*" Durch die Kraft Gottes zeugte Abraham seinen Sohn Isaak, den ihm Sara gebar. Sie hatte zu dem Zeitpunkt das Alter, in dem Frauen schwanger werden und Kinder bekommen, längst überschritten. Darum vertraute Abraham darauf, dass Gott Isaak wiederbeleben konnte, nachdem er ihn als Brandopfer dargebracht hatte. Anhand dieser Begebenheit sehen wir das feste Vertrauen zwischen Gott und Abraham.

Es gibt viele andere Gelegenheiten, die zeigen, wie wahrheitsliebend und treu Abraham war. Als er mit seinem

Neffen Lot in Bethel ankam, hatten sie so viele Schafe und Kühe, dass ihre Hirten sich oft stritten. Abraham ließ seinem Neffen den Vortritt, als er sagte: *„Ist nicht das ganze Land vor dir? Trenne dich doch von mir! Willst du nach links, dann gehe ich nach rechts, und willst du nach rechts, dann gehe ich nach links"* (1. Mose 13,9).

Lot machte sich Richtung Jordan auf, weil es dort genug Wasser gab, trachtete also nach dem seinen und ging daraufhin nach Sodom. Die Stadt Sodom wurde angegriffen und viele Bewohner als Gefangene weggeführt. Als Abraham dies erfuhr, zog er mit seinen Männern aus und holte Lot und die Leute von Sodom zurück. Der König von Sodom bot Abraham dafür Schätze an, dieser allerdings nicht annahm (1. Mose 14,15-23).

Vor dem verheerenden Feuer in Sodom und Gomorra konnte Abraham Lot und seine beiden Töchter durch Gebet retten (1. Mose 18). Als Abraham später die Grabstätte für seine Ehefrau Sara kaufte, boten die Hetiter ihm das Land und die Höhle von Machpela als Geschenk an, aber er kaufte beides zu einem fairen Preis (1. Mose 23,16). Mit seiner zweiten Frau hatte er viele Kinder und am Ende seines Lebens gab er ihnen Geschenke, denn er wollte nicht, dass es später Streit ums Erbe geben würde. An diesen Dingen können wir sehen, wie wahrheitsliebend Abraham war.

Wir lesen in Jakobus 2,23-24: *„Und die Schrift wurde erfüllt, welche sagt: ‚Abraham aber glaubte Gott, und es wurde ihm zur Gerechtigkeit gerechnet', und er wurde ‚Freund*

Gottes' genannt. *Ihr seht also, dass ein Mensch aus Werken gerechtfertigt wird und nicht aus Glauben allein.*" Gott ist die Wahrhaftigkeit und Treue in Person. Er segnete Abraham für seine Glaubenswerke, so dass er nun als Freund Gottes in der Nähe Seines Throns im Raum mit dem hellsten Licht sein darf.

Die Frucht des Lichtes führt uns in den Raum des Lichtes

Damit gute Werke als Frucht des Lichtes betrachtet werden können, müssen sie Gerechtigkeit widerspiegeln, genauer gesagt die Gerechtigkeit Gottes. Dennoch reichen Güte und Gerechtigkeit noch nicht aus. Auch Wahrhaftigkeit und Treue müssen ein Teil davon sein. Wir können also Früchte des Lichtes nur dann tragen, wenn wir Güte, Gerechtigkeit und Wahrhaftigkeit vereinen.

Um die Frucht des Lichtes nun vollkommen zu haben, müssen wir einen Prozess durchlaufen, bei dem wir von der Finsternis ins Licht eintreten – und zwar, indem Dinge aufgedeckt werden. Das steht in Epheser 5,11-13 geschrieben: „*Und habt nichts gemein mit den unfruchtbaren Werken der Finsternis, sondern stellt sie vielmehr bloß! Denn was heimlich von ihnen geschieht, ist selbst zu sagen schändlich. Alles aber, was bloßgestellt wird, das wird durchs Licht offenbar.*"

Mit dem Aufdecken ist hier nicht gemeint, dass jemand für falsches Verhalten zurechtgewiesen wird. Vielmehr ist es eine Aufforderung, aus der Finsternis ins Licht zu kommen.

Wenn Gemeindemitglieder manchmal aufgrund ihrer Sünde in Schwierigkeiten geraten sind, versuche ich nicht, sie zu trösten, sondern helfe ihnen zu begreifen, warum sie geprüft werden oder sich in Bedrängnis befinden. Ich decke auf, dass sie nicht in der Wahrheit leben. Aber selbst wenn niemand anders etwas bei uns aufdeckt, ist es wichtig, dass wir uns anhand von Gottes Wort selbst korrigieren, wenn wir etwas falsch gemacht haben.

Wenn Gott jede unserer Sünden und alles Finstere in uns offenbart und darauf hinweist, tut Er dies aus Liebe. Als liebender Gott will Er zum einen, dass wir als Seine Kinder ganz in Seinem Licht leben, damit wir alle Segnungen auf dieser Erde empfangen. Zum anderen können wir so später einmal im himmlischen Königreich für immer an einem helleren Ort leben. Dafür müssen wir alles, was zur Finsternis gehört, ablegen und der Heiligung und Vollkommenheit Gottes nachjagen, damit wir Gott, der Licht ist, widerspiegeln (Matthäus 5,48, 1. Petrus 1,16).

Von der Zeit, als ihm der Herr auf der Straße von Damaskus begegnete, entschied sich der Apostel Paulus für den Gehorsam gegenüber Christus und predigte unzähligen Heiden das Evangelium. Er erklärte: *„Täglich sterbe ich, so wahr ihr mein Ruhm seid, Brüder, den ich in Christus Jesus, unserem Herrn, habe"* (1. Korinther 15,31).

Wir werden in der Lage sein, den größtmöglichen Frieden zu spüren und die Frucht des Lichtes reichlich tragen, wenn wir tatsächlich alle fleischlichen Gedanken, die Gott gegenüber feindlich sind, ablegen und nur noch ähnliche Gedanken haben, wie die folgenden: „Wie kann ich dem Reich Gottes und Seiner Gerechtigkeit dienen? Wie kann ich mein Herz vollkommen heiligen? Wie kann ich mehr Seelen für den Himmel gewinnen?"

Die Frucht des Lichtes beinhaltet nicht nur Güte, Gerechtigkeit und Wahrhaftigkeit, sondern auch alle möglichen Früchte, die wir tragen, wenn wir Gemeinschaft mit Gott pflegen und das Herz Jesu Christi haben, was geistliche Liebe, die Früchte der Seligpreisungen und die Frucht des Heiligen Geistes einschließt. All diese Früchte müssen wir in uns tragen, um ins neue Jerusalem zu kommen. Wenn manche Früchte voll ausgereift sind, andere aber nicht, qualifizieren wir uns nicht für das Eintreten ins neue Jerusalem. Ich hoffe, ihr werdet euch fleißig im Wort Gottes üben und euch dafür qualifizieren, an den Ort des Lichtes zu kommen, der am hellsten leuchtet.

Geist, Seele und Leib II

Teil 2

Geist, Seele und Leib im geistlichen Raum

Kriterien für die Einstufung der himmlischen Wohnorte
Die Herrlichkeit, die im geistlichen Raum vergeben wird

> „Siehe, ich sage euch ein Geheimnis:
> Wir werden nicht alle entschlafen,
> wir werden aber alle verwandelt werden, in einem Nu,
> in einem Augenblick, bei der letzten Posaune; denn posaunen wird es,
> und die Toten werden auferweckt werden, unvergänglich sein,
> und wir werden verwandelt werden.
> Denn dieses Vergängliche muss Unvergänglichkeit anziehen
> und dieses Sterbliche Unsterblichkeit anziehen."
> - 1. Korinther 15,51-53

Kapitel 1
Die unterschiedlichen Wohnorte

Die himmlischen Wohnungen, die wir bekommen,
werden sich unterscheiden – je nachdem, wie sehr wir
Gott widerspiegeln und nach Seinem Willen leben.
Das himmlische Königreich hat verschiedene Wohnungen.
Je schöner die himmlische Wohnung, desto größer die Ehre
und das Glück, das wir dort genießen können.

Im Himmel gibt es viele Wohnorte

Dem Himmel wird Gewalt angetan

Der Grund für die Einstufung der himmlischen Wohnorte

Das Paradies, der Wohnort für die, die gerade so gerettet werden

Das neue Jerusalem, der Wohnort für Menschen,
    die vom Geist vollkommen geprägt waren

Der Mensch neigt dazu, Dinge erst zu glauben, wenn er sie mit eigenen Augen sehen und prüfen kann. Doch es gibt vieles, das man nicht mit dem natürlichen Auge sieht, wie zum Beispiel den Wind oder den Duft von Blumen. Beides existiert, ist aber unsichtbar. Es gibt auch einen geistlichen Raum, der über der Dimension des Sichtbaren, also über die physische Welt hinaus existiert. Es ist nicht richtig, die Existenz der geistlichen Welt zu leugnen, nur weil man sie mit bloßem Auge nicht sehen kann.

Im weiten geistlichen Raum befindet sich Gottes himmlisches Reich im dritten Himmel. Es ist ein grenzenloser Raum des Lichtes, wo es verschiedene Wohnorte gibt – vom Paradies bis zum neuen Jerusalem. Die Verteilung der Wohnungen im Himmel basiert darauf, wie sehr sich jemand geheiligt und gemäß dem Willen Gottes aus Glauben gelebt hat. Wir, die wir in den Himmel gehören, bekommen ein Maß der Heiligkeit – je nachdem, inwieweit wir auf Erden zu dem wurden, was sich Gott wünschte.

Darum heißt es im 1. Korinther 15,40-41: *„Und es gibt himmlische Leiber und irdische Leiber. Aber anders ist der*

Glanz der himmlischen, anders der der irdischen; ein anderer der Glanz der Sonne und ein anderer der Glanz des Mondes und ein anderer der Glanz der Sterne, denn es unterscheidet sich Stern von Stern an Glanz."

Die unterschiedlichen Grade der Herrlichkeit im Himmel

Heiligkeit war von Anfang an eine von Gottes Eigenschaften. Die Bibel spricht an vielen Stellen über Heiligkeit, weil Gott will, dass der in Seinem Ebenbild geschaffene Mensch heilig ist. In 3. Mose 20,16 heißt es: *„Und ihr sollt mir heilig sein, denn ich bin heilig, ich, der HERR. Und ich habe euch von den Völkern ausgesondert, um mein zu sein."* Und im 1. Petrus 1,6 lesen wir: *„Seid heilig, denn ich bin heilig."*

Somit gehören alle, die gemäß dem Willen unseres heiligen Gottes leben, in den Himmel. Sie dürfen einst die Herrlichkeit im Königreich der Himmel genießen. Auf der anderen Seite kommen diejenigen in die Hölle, die in Sünde leben und Böses tun, denn das ist gegen Gottes Willen.

Die, die auf die Erde gehören, sind nicht nur die Leute, die Jesus Christus nicht angenommen und nicht an Gott geglaubt haben. In Matthäus 7,21 steht: *„Nicht jeder, der zu mir sagt: Herr, Herr!, wird in das Reich der Himmel hineinkommen, sondern wer den Willen meines Vaters tut, der in den Himmeln ist."* Selbst wenn sie „Herr, Herr" sagen, und behaupten, sie glauben an Ihn, gehören sie dennoch auf die Erde, solange sie den Willen Gottes nicht tun.

Was müssen wir – als jemand, der in den Himmel gehört – tun, um in das Reich der Königsherrschaft zu kommen und die Herrlichkeit der Sonne zu genießen? In Hebräer 12,4 lesen wir, dass wir während unseres Lebens hier auf Erden den Süden bis aufs Blut widerstehen müssen. Außerdem steht in 1. Thessalonicher 5,22, dass wir das Böse, ganz gleich in welcher Form, meiden sollen, um geheiligt und vom Heiligen Geist erfüllt zu werden. So wie sich das Licht von Sonne, Mond und Sternen unterscheidet, ist auch die Herrlichkeit derer, die in den Himmel gehören, von Person zu Person anders.

In Jesaja 60,1 steht: *"Steh auf, werde licht! Denn dein Licht ist gekommen, und die Herrlichkeit des HERRN ist über dir aufgegangen."* Wenn wir Jesus Christus annehmen, der als das „Licht der Welt" hierher kam, fangen wir an, in dem Maße, wie wir Gottes Wort beherzigen, geistliches Licht zu verströmen. Als diejenigen, die in den Himmel gehören, sollten wir ein Licht ausstrahlen, dass so hell wie die Mittagssonne ist, damit wir dadurch die Macht der Finsternis vertreiben, Menschen evangelisieren und Gott die Ehre geben können.

Im Himmel gibt es viele Wohnorte

Jesus feierte kurz vor Seinem Tod mit Seinen Jüngern im Obergemach im Haus von Markus das Pessachfest. Um ihnen Hoffnung zu machen, erinnerte Er sie bei jenem letzten Abendmahl an das Königreich der Himmel.

Jesus sagte in Johannes 14,2-3: *„Im Hause meines Vaters sind viele Wohnungen. Wenn es nicht so wäre, würde ich euch gesagt haben: Ich gehe hin, euch eine Stätte zu bereiten? Und wenn ich hingehe und euch eine Stätte bereite, so komme ich wieder und werde euch zu mir nehmen, damit auch ihr seid, wo ich bin."*
Jesus stand am dritten Tag nach Seiner Kreuzigung von den Toten auf und fuhr später im Beisein vieler Zeugen in den Himmel auf. Er ging dorthin, um unsere himmlischen Wohnungen vorzubereiten – dort, wo Gottes Kinder in Ewigkeit leben werden. Als Er sagte: *„Im Hause meines Vaters sind viele Wohnungen"*, meinte Er damit, dass Er sich wünscht, dass alle Menschen gerettet werden (1. Timotheus 2,4).

Der Himmel ist ein geistlicher Raum, den Gott geschaffen hatte, bevor die Dreieinigkeit die Erde schuf. Es ist ein grenzenloser Ort, dessen Tiefe, Breite, Dichte und Volumen der menschliche Verstand nicht erfassen kann. Dort befinden sich Gottes Thron, unzählige geistliche Wesen und die Wohnungen, wo Seine Kinder für immer leben werden. Mitten im Himmel steht das neue Jerusalem, der herrlichste Wohnort überhaupt.

Das von Gottes Thron ausgehende geistliche Licht und der Strom vom Wasser des Lebens machen die Kinder Gottes sehr froh und sie fühlen sich davon geehrt. Gott gibt jedem eine passende Wohnung und belohnt uns nach dem Glauben, den wir auf Erden praktisch ausgelebt haben. Auch hängt es davon ab, inwieweit wir Ihm hier alle Ehre geben haben.

Das neue Jerusalem ist eine Stadt auf dem höchsten Punkt im dritten Himmel, „darunter" befinden sich der dritte, zweite und erste Himmel sowie das Paradies. Das soll allerdings nicht heißen, dass die Himmel wie auf der Erde buchstäblich etagenförmig angeordnet wären. Alle Wohnungen im Himmel sind horizontal, aber auch vertikal auf unterschiedlichen Höhen gelegen.

Dem Himmel wird Gewalt angetan

In Matthäus 11,12 steht: *„Aber von den Tagen Johannes des Täufers an bis jetzt wird dem Reich der Himmel Gewalt angetan, und Gewalttuende reißen es an sich."* Der Himmel ist ein schöner, friedlicher Ort. Warum wird ihm Gewalt angetan und warum reißen Gewalttuende ihn an sich?

Das heißt die Leute, die große Hoffnung auf den Himmel setzen, führen ein Glaubensleben und versuchen, ins neue Jerusalem zu kommen. Ihr engagiertes Leben als Christen wird hier so beschrieben, als seien sie „Gewalttuende", die es an sich reißen.

Wogegen müssen sie „gewalttuend" sein? Sie sind gegenüber dem Feind „gewalttätig", denn der Teufel stiftet die Menschen zum Sündigen an. Um in den Himmel zu kommen, müssen wir gegen die Finsternis Satans ankämpfen und sie überwinden. Um Leute zu Fall zu bringen, spielt der Feind mit der sündigen Natur der Menschen und treibt sie in die Sünde. Diejenigen, die sich wirklich nach dem himmlischen Königreich sehnen, werden die Sünde mit dem Wort Gottes überwinden.

Wir können das neue Jerusalem an uns reißen, wenn wir heilige Kinder Gottes werden – durch Sein Wort und durchs Gebet (1. Timotheus 4,5). In 2. Korinther 12 lesen wir ab Vers 1, wie der Apostel Paulus ins Paradies entrückt wurde, welches sich im dritten Himmel befindet, wo er große Geheimnisse über das himmlische Reich erfuhr. Von da an kämpfte er den guten Kampf weiter, bis er als Märtyrer starb. Er riss das neue Jerusalem an sich, indem er auf den Siegeskranz der Gerechtigkeit schaute, den Gott für ihn bereithielt.

In Offenbarung 19,7-8 lesen wir: *„Lasst uns fröhlich sein und jubeln und ihm die Ehre geben; denn die Hochzeit des Lammes ist gekommen, und seine Frau hat sich bereitgemacht. Und ihr wurde gegeben, dass sie sich kleide in feine Leinwand, glänzend, rein; denn die feine Leinwand sind die gerechten Taten der Heiligen.“* Und in Kapitel 22 steht in Vers 14: *„Glückselig, die ihre Kleider waschen, damit sie ein Anrecht am Baum des Lebens haben und durch die Tore in die Stadt hineingehen!“*

Mit den „Kleidern" und der „feinen Leinwand" sind die Herzen und Taten der Menschen gemeint. Wir dürfen durch die Tore in die heilige Stadt nur dann einziehen, wenn unsere Herzen und Werke rein waren. Da der Plural „Tore" verwendet wird, sehen wir, dass es viele davon gibt. Um in die Stadt hineinzukommen, müssen wir zunächst durch das Tor der Errettung gehen und die Qualifikation erlangen, ins

Paradies zu dürfen. Dann müssen wir die Tore zum ersten, zweiten und dritten Königreich der Himmel passieren. Am Ende treten wir durch die aus einer Perle bestehende Himmelspforte ins neue Jerusalem.

Darum steht dort „Tore". Von diesem Abschnitt können wir lernen, dass nicht alle, die gerettet sind, im Himmel die gleiche Ehre oder Herrlichkeit bekommen werden. Wir sollten sehr dankbar sein, dass wir etwas über das himmlische Königreich lernen durften und uns danach ausstrecken können, die besseren Wohnorte an uns zu reißen.

Der Grund für die Einstufung der himmlischen Wohnorte

Alle, die Jesus Christus annahmen, ihr Herz aber nicht haben beschneiden lassen und somit auch das Böse nicht ablegten, bekommen nur ein sehr schwaches geistliches Licht. Diejenigen, die dagegen alle Formen des Bösen abgelegt und sich geheiligt haben, strahlen ein sehr helles geistliches Licht aus. Wie bereits erwähnt unterscheidet sich das Licht der Gläubigen voneinander. Je stärker gläubige Menschen das Wort Gottes in die Tat umsetzen und die Sünde ablegen, desto heller und schöner ist das von ihnen ausgehende Licht. Menschen, die vollkommen geheiligt waren, strahlen so gleißend hell, dass andere sie nicht direkt anschauen können.

Wenn wir nur mit dem gesunden Menschenverstand herangehen, wird uns schnell klar, dass es denen, die ein sehr starkes geistliches Licht haben, schwer fällt, mit denen Gemeinschaft zu haben oder zu leben, bei denen das nicht der Fall ist. Sogar auf der Erde ist es angenehmer, wenn Kinder sich mit anderen Kindern treffen oder Teenager mit Teenagern und Erwachsene mit Erwachsenen. Kinder und Erwachsene können nicht die besten Freunde sein, weil sich ihre Welt so stark voneinander unterscheidet. Ebenso sind ihre Intelligenz und ihr Denken äußerst verschieden.

So werden die Menschen, deren geistliches Licht ähnlich hell leuchtet, am gleichen Ort wohnen. Was wäre, wenn alle im ewigen Königreich der Himmel am gleichen Ort lebten? Diejenigen, die geheiligt sind, verstehen die Herzen der anderen, so dass es für sie nicht unangenehm wäre. Aber die, die nicht geheiligt sind, können sie nicht verstehen. Darum hat Gott die unterschiedlichen Wohnorte im Himmel unterteilt, so dass die Menschen mit einem ähnlich starken geistlichen Licht bequem unter sich leben können.

In Offenbarung 21,23 steht: *„Und die Stadt bedarf nicht der Sonne noch des Mondes, damit sie ihr scheinen; denn die Herrlichkeit Gottes hat sie erleuchtet, und ihre Lampe ist das Lamm."* Unter den jeweiligen Orten im Himmel ist das neue Jerusalem das Herzstück der von Gott geplanten, menschlichen Zivilisation. Es ist der Ort, wo Er Sein Herz für ewig für Seine Kinder öffnet. Er hat den dritten, zweiten und ersten Himmel und das Paradies für alle vorbereitet, die ihr Herz noch nicht hundertprozentig mit der Wahrheit gefüllt haben, wodurch sie auch nicht ins neue Jerusalem eintreten dürfen.

Nun wollen wir uns genauer ansehen, was es mit den Wohnorten auf sich hat, angefangen beim Paradies bis hin zum neuen Jerusalem. Wir werden uns auch anschauen, welche Personen jeweils in diese Wohnungen einziehen dürfen.

Das Paradies, der Wohnort für die, die gerade so gerettet werden

Gott sandte Jesus auf diese Welt, weil wir wegen unserer Sünde den Weg des Todes eingeschlagen hatten. Jesus erlöste uns von allen unseren Sünden, als Er ans Kreuz geschlagen wurde. Wenn wir glauben, dass Er der einzige Weg zur Errettung ist und Ihn als unseren persönlichen Retter annehmen, gibt uns Gott den heiligen Geist. Wenn wir den Geist Gottes dann empfangen, wird unser Geist, der wegen Adams Sünde tot war, wieder lebendig. Dann haben wir das Recht, Gott als unseren „Vater" zu bezeichnen. Das bedeutet, wir werden zu Kindern Gottes, unser Name wird ins Buch des Lebens eingetragen und wir werden zu Bürgern des Königreiches der Himmel.

Nachdem unser toter Geist wiederbelebt wurde, kann er nicht wachsen, wenn wir das Wort Gottes nicht umsetzen und die Sünde nicht ablegen. Unser Geist wächst nur so stark, wie wir die Sünde ablegen. Wir können ins neue Jerusalem auch nur hinein, wenn wir das verlorene Ebenbild Gottes wiedererlangen, indem wir dafür sorgen, dass unser Geist wächst und vollkommen wird.

Wenn unser Geist nicht wächst, wir nur gerade so gerettet sind und unser Glauben nur Senfkorngröße hat, kommen wir ins nur Paradies. Was den Glauben angeht, so ist dies die unterste Stufe, die Ebene, wo man gerade so noch gerettet ist.

Das Paradies ist ein Ort, den Gott mit Liebe und Mitgefühl geschaffen hat. Er bereitete ihn für Menschen vor, die zwar gerettet wurden, aber nicht würdig waren, Kinder Gottes genannt zu werden. So passt es nicht ganz, auch sie als Kinder Gottes zu bezeichnen. Doch Gott kann sie nicht in die Hölle schicken. Fakt ist, dass im Paradies mehr Gläubige wohnen werden als in den anderen Wohnorten im Himmel. Dieser Ort ist noch weiter als das Universum im ersten Himmel. Die Menschen im Paradies werden dankbar sein und dort für ewig glücklich leben, ganz einfach weil sie nicht in die Hölle mussten, sondern noch gerettet wurden.

Doch obwohl es der niedrigste Ort im Himmel ist, gibt es auf der Erde nichts, das man mit seiner Schönheit und Pracht auch nur annähernd vergleichen könnte. Auf der weiten Ebene, auf der wunderschöne Blumen und Bäume perfekt miteinander harmonieren, sind verschiedene Tiere unterwegs, die alle großartig aussehen.

Auf der Erde verwelken und sterben Bäumen, Pflanzen und Blumen im Laufe der Zeit. Doch im Paradies sind die Bäume immer grün, die Blumen verwelken nie. Wenn sich Menschen den Blumen nähern, schwingen sie nach vorn und hinten und verschließen ihre Blüten, um einzigartige und wunderbar aromatische Duftnoten zu verströmen, als würden sie die Menschen grüßen. Es gibt auch sehr viele verschiedene Früchte. Sie sind etwas größer als auf der Erde und haben ein hervorragendes Aroma. Die Menschen können sie vom Baum pflücken und gleich essen, weil es weder Staub noch Insekten gibt.

Sie können auf dem Rasen sitzen, sich austauschen und dabei von den Früchten essen. Diese Leute haben auf der Erde nichts für das Königreich Gottes getan, so dass sie im Himmel auch keine Belohnung erhalten. Dennoch sind sie einfach nur froh und glücklich, dass es dort weder Sorgen noch Krankheiten, weder Schmerzen noch Tod gibt. Sehr selten kommt es einmal vor, dass manche von ihnen zu Veranstaltungen ins neue Jerusalem eingeladen werden.

Allerdings besteht ein Riesenunterschied zwischen dem Licht derer im neuen Jerusalem gegenüber denen im Paradies. So nehmen Bewohner vom Paradies diese Einladungen normalerweise nicht an, denn es wäre ihnen peinlich, dorthin zu gehen. Sollten sie doch einmal zu Besuch hingehen, müssen sie sich an bestimmte Befehle und einen gewissen Zeitplan halten. Sie sind sehr froh, die herrliche Stadt besuchen zu dürfen und es bereitet ihnen bei ihrer Rückkehr ins Paradies große Freude, davon zu berichten, was sie im neuen Jerusalem alles erlebt haben.

Nur weil das Paradies der niedrigste Wohnort im Himmel ist, dürfen wir seine Schönheit und das Glück dort nicht unterschätzen. Auch wenn dort die gerade noch so geretteten

Menschen leben dürfen, ist es dennoch ein Ort, der aufgrund seiner Pracht mit nichts auf der Erde vergleichbar ist. Es ist sogar noch schöner als der Garten Eden, wo Adam einst lebte.

Das erste Königreich der Himmel

Das erste Königreich der Himmel ist noch schöner als das Paradies und man ist dort glücklicher. Die gesamte Umgebung ist prächtiger als im Paradies. Es ist der Ort für diejenigen, die Jesus Christus angenommen haben, deren Geist wiederbelebt wurde und die versucht haben, das Wort Gottes in die Tat umzusetzen, es aber nicht vollkommen praktizierten. Anders ausgedrückt ist das erste Königreich der Himmel für diejenigen, deren Glauben auf die zweite Ebene geklettert ist.

Im ersten Königreich der Himmel bekommen die Gläubigen Belohnungen und ein Haus, je nachdem wie sie Gott auf der Erde gedient haben. Die Häuser im ersten Himmel sind wie Wohnungen auf der Erde. Sie sind aus Gold gebaut und mit kostbaren Edelsteinen geschmückt und treffen den Geschmack des Bewohners perfekt. In den Gebäuden gibt es Fahrstühle, die mit der Kraft Gottes betrieben werden. Sie bringen dich auf die gewünschte Etage, ohne dass du einen Knopf drücken müsstest.

Für die, die ins erste Königreich der Himmel kommen, steht ein unvergänglicher Siegeskranz bereit (1. Korinther 9,25). Dieser ist wie eine Belohnung dafür, dass man an einer Sache teilgenommen hat. Sie kannten das Wort Gottes, praktizierten es aber auf der Erde nicht. Sie wussten, sie hätten sich der Sünde entledigen müssen, legten aber viele mutwillige Sünden nicht ab. Gott sieht ihre Bemühungen, Sein Wort zu praktizieren jedoch als Glauben an und belohnt sie dementsprechend.

Im ersten Königreich der Himmel gibt es viele schöne Gärten, daneben auch Freizeitanlagen, wie große Parks mit vielen Bäumen, Vergnügungsparks, Seen, Wanderwege, Schwimmbäder, Golfplätze, Tennisanlagen und so weiter. Abgesehen von den Privatwohnungen und den Kronen, die vergeben werden, steht alles allen zur Verfügung, ähnlich wie Parks oder Sportanlagen in Wohngebieten auf der Erde, die der Öffentlichkeit zugänglich sind.

Es gibt allerdings keine Engel, die den Bewohnern persönlich zugeteilt sind, obwohl die Leute sich von den Engeln überall hinleiten lassen können. Das ist auch der grundsätzliche Unterschied zum Paradies. Während sie zum Beispiel auf einer Bank sitzen und sich unterhalten, können sie einen Engel bitten, ihnen Früchte zu bringen. Im Paradies müssen sie sich die Früchte selbst holen. So unterscheidet sich der Lebensstil derer im Paradies gravierend von dem im ersten Himmel. Die Einwohner im ersten Königreich der Himmel sind jedoch nicht eifersüchtig auf diejenigen in den höher gelegenen Wohnstätten. In allen Königreichen der Himmel sind alle überglücklich und zufrieden.

Das zweite Königreich der Himmel

Das zweite Königreich der Himmel ist heller und herrlicher

als das erste. Die Gebäude strahlen mit kostbaren Edelsteinen, die schöner sind. Die Anzahl der verschiedenen Tiere und Blumen ist vielfältiger als im Paradies und im ersten König der Himmel. Dieselben Tiere und Pflanzen sind hier noch erstaunlicher als im ersten. Die physische Anmut der Tiere ist eleganter und ihre Schönheit strahlt heller. Die Farben ihres Gefieders oder ihres Fells glänzen prächtiger. Das trifft auch auf den Duft und die Farben der Blumen zu.

Das zweite Königreich der Himmel ist für Menschen, die das Wort Gottes praktisch umgesetzt haben, aber nicht vollkommen geheiligt wurden. Anders ausgedrückt sind es diejenigen, deren Glauben auf der dritten Ebene ist. Sie haben aufgehört, in ihren Taten zu sündigen, aber die Sünden in den Gedanken und im Herzen nicht vollkommen abgelegt.

Sie bekommen ein einstöckiges Haus für sich und ihr Name steht auf einer Plakette am Tor. Diese Häuser sind so viel schöner und grandioser als alle Villen dieser Welt. Neben dem Haus, bekommen sie gewöhnlich auch einen herrlichen Siegeskranz. Sie haben Gott auf der Erde in gewissem Maße die Ehre gegeben und darum beschenkt Er sich nun mit einem Siegeskranz (1. Petrus 5,4).

Neben der Krone und dem Zuhause können die Menschen im zweiten Königreich der Himmel auch persönliches Eigentum an Dingen haben, die sie sich am meisten wünschen. Wenn sie sich einen Swimmingpool wünschen, können sie einen mit wunderschönen Edelsteinen haben. Wünschen sie sich einen See, können sie ihn haben. Wenn sie einen Tanzsaal wollen, können sie ihn bekommen. Wenn sie gerne spazieren gehen, können sie mit vielen Pflanzen und Blumen gesäumte Wanderwege haben, wo viele Tiere herumtollen.

Da jeder einen anderen Geschmack hat, gibt es viele verschiedene Anlagen, so dass sich die Leute gegenseitig besuchen und diese Anlagen zusammen nutzen können. Im Himmel dient jeder jedem und niemand verweigert jemandem, der zu Besuch kommt, den Zutritt zu seinem Haus. Vielmehr sind sie froh darüber, dass sie das teilen können, was sie haben. Die Besucher wollen das aber auch nicht ausnutzen, so bewegen sie sich dabei innerhalb der Grenzen dessen, was höflich ist.

Diejenigen im zweiten Königreich der Himmel sind nicht traurig und auch nicht neidisch, weil sie nur eine Anlage haben. Vielmehr sind sie dankbar, dass Gott ihnen solch eine große Belohnung gegeben hat, die viel größer ist, als das, was sie mit ihrem Dienst auf der Erde je hätten verdienen können. Sie sind sich auch bewusst, dass sie sich auf der Erde nicht vollkommen geheiligt haben. Es ist ihnen peinlich, dass sie das Böse nicht vollkommen abgelegt haben; so können sie vor Gott nicht aufschauen.

Das dritte Königreich der Himmel

Der Unterschied zwischen dem zweiten und dritten Königreich der Himmel ist so wie zwischen Himmel und Erde. Das liegt an dem, was die einzelnen Bewohner in Bezug auf die Heiligung erreicht haben. Der Glaube der Menschen im dritten Königreich der Himmel befindet sich auf der vierten Ebene. Sie haben sich geheiligt und können damit alle Anlagen nach Belieben haben und nutzen, zum Beispiel Golfplätze, Schwimmbäder und Ballräume. Sie bekommen also alles, was sie sich wünschen, so dass sie die Anlagen in dem Haus von jemand anderem nicht nutzen brauchen.

Die Häuser haben mehrere Stockwerke und sind so grandios und prächtig, dass selbst Milliardäre auf der Erde sich etwas Derartiges nicht hätten leisten können. Dazu kommen riesige Gärten voller duftender Blumen und Bäume, die wunderschön dekoriert sind. Viele Fischsorten in den verschiedensten Farben schwimmen in den Seen, die in brillanten Lichtern schillern. Allerdings sind diese Häuser nicht so groß, prunkvoll oder herrlich wie im neuen Jerusalem. Wollte man einen Vergleich anstellen und sagen, dass Grund und Boden des kleinsten Hauses im neuen Jerusalem 100 Einheiten hat, dann haben die größten Häuser im dritten Reich der Himmel nur 60 Einheiten. Das zeigt, wie begeistert Gott von den Bewohnern im neuen Jerusalem ist.

Die Häuser im dritten Königreich der Himmel verströmen ein angenehmes Aroma und Licht – abhängig davon, wie sehr der Bewohner Gott gleicht. Gemein ist den Häusern im dritten Königreich der Himmel und im neuen Jerusalem, dass sie keine Namensschilder haben. Von den Häusern selbst geht ein einzigartiger Duft und eine Art Polarlicht aus, beides repräsentiert den Besitzer, so dass jeder auch ohne Namensschild weiß, um wessen Haus es sich handelt. Hinzu kommt, dass von all den Gläubigen, die in den Himmel aufgenommen werden, nur relativ wenige ins dritte Königreich oder ins neue Jerusalem kommen.

All das betrifft allerdings nicht nur die Häuser, sondern auch die goldenen Straßen, die viel heller strahlen und die Edelsteine, welche mehr als im zweiten Königreich der Himmel funkeln. Da die Bewohner im dritten Königreich der Himmel alles haben können, was sie sich wünschen, stehen ihnen auch viele Engel zur Verfügung. Zahlreiche Engel helfen, die Häuser und Besucher zu managen. Bis zum zweiten Königreich der Himmel bekommt niemand dienstbare Engel zugeteilt, aber sehr wohl im dritten Himmel und im neuen Jerusalem. Dort dienen die Engel den Bewohnern persönlich. Sie haben auch Automobile, die wie Wolken aussehen und die alle nutzen können. Jeder kann damit im grenzenlosen himmlischen Königreich nach Herzenslust herumreisen.

Die Krone des Lebens wird den Bewohnern des dritten Königreichs der Himmel überreicht. Sie ist eine einfache Belohnung, weil diese Menschen die Prüfungen, die ihnen im Leben begegneten, bestanden haben (Jakobus 1,12). Alle Bewohner des dritten Königreichs der Himmel leben im Vergleich zu denen im zweiten noch herrlicher. Doch selbst sie bereuen Dinge, wenn sie das neue Jerusalem sehen. Somit ist es sehr wichtig, dass wir Gott gefallen, indem wir in allem, was Sein Haus angeht, treu sind und Heiligkeit praktizieren.

Das neue Jerusalem, der Wohnort für Menschen, die ganz vom Geist geprägt sind

Über die herrliche Stadt, das neue Jerusalem, schrieb der Apostel Johannes in Offenbarung 21,11: *„... und sie hatte die Herrlichkeit Gottes. Ihr Lichtglanz war gleich einem sehr kostbaren Edelstein, wie ein kristallheller Jaspisstein."*

Die gesamte Stadt ist umgeben von der Herrlichkeit Gottes. Die Lichter, die vom neuen Jerusalem ausgehen, sind so würdevoll und wunderschön, dass wir bei ihrem Anblick nicht still bleiben können. Dieser Ort ist großartig. Er geht über unsere Vorstellungskraft hinaus und ist denen vorbehalten, die sich vollkommen geheiligt haben, im ganzen Hause Gottes treu waren und Seinen Willen getan haben, weil sie eine tiefe Offenbarung von Gottes Herzen empfangen hatten. Es ist der Ort für diejenigen, die ganz und gar vom Heiligen Geist geprägt sind. Ihr Glaube ist auf der fünften Ebene.

Diese Stadt ist von hohen Mauern umgeben, die brillantes Licht ausstrahlen. Es ist die Grenze zwischen dem dritten Königreich der Himmel und dem neuen Jerusalem. Die Abmessungen der Stadt sind gleichmäßig. Ihre Länge, Breite und Höhe beträgt jeweils 12.000 Stadien (Offenbarung 21,16). Das ist ein altes Längenmaß; 12.000 Stadien entsprechen rund 2.400 Kilometern.

Betrachtet man die Stadt, das neue Jerusalem, horizontal – also der Länge und der Breite nach-, ist sie achtundfünfzig Mal so groß wie Südkorea. Doch diese Berechnung ihrer Größe ist lediglich zweidimensional. Das neue Jerusalem ist außerdem 2.400 Kilometer hoch. Wir können kaum erfassen, wie groß die Stadt ist, wenn wir nur mit unserem Verständnis von Flächen herangehen.

Alle vier Seiten der Stadtmauer haben drei Tore aus Perlen, es gibt also insgesamt zwölf Tore oder Pforten. Das Fundament der Stadt bilden zwölf verschiedene kostbare Edelsteine. Jedes Tor wird von einem Engel bewacht und die Straßen sind aus reinem Gold, das wie kristallklares Glas aussieht. Neben den zwölf edlen Grundsteinen gibt es noch viele andere Juwelen, manche davon sind unvorstellbar groß. Andere strahlen zwei- oder dreimal so viel verschiedene Farben aus.

Das Innere vom neuen Jerusalem kann zum einen in den Bereich für Gott den Vater, zum anderen den Bereich für den Sohn und zum dritten in den des Heiligen Geistes unterteilt werden. Im Bereich des Vaters sind die Häuser der Väter des Glaubens, die zu alttestamentlichen Zeiten lebten, sie sind aber nicht auf diese beschränkt. Unter ihnen sind Elia, Henoch, Mose und Abraham. Rechterhand vom Thron ist der Bereich des Herrn. Dort steht das Schloss des Herrn, das mit einem goldenen Dach geschmückt ist. Darum herum gibt es viele andere Gebäude in unterschiedlichen Farben und Formen. In nächster Nähe stehen die Häuser Seiner Jünger Petrus, Johannes und Jakobus, dann folgen die der anderen Jünger.

Linkerhand vom Thron ist der Bereich des Heiligen Geistes, der allgemein ein sanftes, mildes Gefühl verströmt wie eine Mutter. In diesem Bereich befinden sich die Häuser von Leuten, die sich auf Erden ganz und gar vom Heiligen Geist hatten prägen und leiten ließen. Manche der Häuser sind bereits fertig, andere werden noch mit wunderschönen Juwelen geschmückt. Sie sind fast fertig. Für manche Häuser wird das Land vergrößert, weil der Besitzer auf der Erde immer noch dient und Seelen gewinnt.

Die Häuser im neuen Jerusalem sind so groß und prächtig wie riesige Schlösser. Ihre Bewohner bekommen auch Land – und zwar abhängig davon, wie demütig sie auf der Erde waren. Die Menschen im neuen Jerusalem erben ein großes Stück Land für ihr Haus, weil sie auf Erden ein großes Maß an Sanftmut entwickelt hatten. Die Häuser haben alles, was sich der Besitzer nur erträumen kann. Man kann auch leicht erkennen, wer wo wohnt, weil entsprechend dem Maß des Glaubens gebaut wurde, das der Besitzer hatte. Es zeigt, welche Belohnungen er bekommen hat und entspricht seinem Geschmack. Das Licht von Gottes Herrlichkeit und die Edelsteine, mit der die Häuser geschmückt sind, geben darüber Auskunft, wie heilig der Besitzer war und wie sehr er Gott auf Erden gefiel. Die Besitzer werden wunderbar belohnt, je nachdem was sie alles aufgaben, obwohl sie es mochten, was sie tun wollten und was sie für den Herrn haben wollten.

Die Goldkrone und den Siegeskranz der Gerechtigkeit bekommen praktisch alle, die im neuen Jerusalem leben werden. Die goldene Krone ist mit vielen Edelsteinen verziert. In Offenbarung 4,4 lesen wir: *„Und rings um den Thron sah* *ich vierundzwanzig Throne, und auf den Thronen saßen vierundzwanzig Älteste, bekleidet mit weißen Kleidern, und auf ihren Häuptern goldene Siegeskränze.*" Das Gold der Goldkrone ist rein und enthält keine anderen Elemente. Sie steht symbolisch für echten Glauben, der sich nie ändert. Man bekommt diese Belohnung, wenn man das Maß des Glaubens erlangt hat, das Gott gefällt.

Den Siegeskranz der Gerechtigkeit bekommen Menschen, die ein reines Herz entwickelt haben, das schuld- und makellos war, und die im Königreich Gottes treu waren (2. Timotheus 4,7-8). Neben goldenen Kronen und Siegeskränzen der Gerechtigkeit werden auch andere Kronen an die vergeben, die ins neue Jerusalem kommen. Für jede Gelegenheit, wo jemand auf der Erde Gott auf eine ganz besondere Art und Weise die Ehre gab, gibt es eine Krone.

Daneben hat Gott noch viele andere Dinge für uns im neuen Jerusalem vorbereitet. Dazu heißt es in Offenbarung 21,2: *„Und ich sah die heilige Stadt, das neue Jerusalem, aus dem Himmel von Gott herabkommen, bereitet wie eine für ihren Mann geschmückte Braut."* So wie sich Bräute für ihre Hochzeit schmücken, hat Gott diese Stadt vorbereitet. Sie ist der Ort im Himmel der am schönsten, bequemsten und angenehmsten ist und die Bewohner überglücklich macht.

Die verschiedenen Farben der schillernden Edelsteine an den Häusern harmonieren perfekt. Manche Häuser haben einen großen See, einen großen Wald, eine große Fläche, einen wunderschön gestalteten Garten, Freizeitanlagen, zahllose Vögel und wunderschöne Tiere. Allein schon wenn man das neue Jerusalem besucht, wird das Herz zutiefst berührt. Die Bewohner werden die Ewigkeit in dieser Herrlichkeit verbringen, das Glück dort genießen und Emotionen spüren, die wir nicht ausreichend beschreiben können.

Seit Beginn der Menschheitsgeschichte waren noch nicht viele im neuen Jerusalem. Gott will, dass alle Gläubige zu Seinen wahren Kindern werden und dorthin kommen, aber leider gibt es sehr viele Menschen, die nur gerade so gerettet wurden. Sie sind jedoch wie erwähnt für allezeit dankbar, dass sie überhaupt in den Himmel gekommen sind und nicht in die Hölle mussten. So genießen sie die wahre Ruhe im Paradies in vollen Zügen.

Die Freude, die Menschen im Paradies spüren, kann man auch nicht annähernd mit der im neuen Jerusalem vergleichen. Sie unterscheidet sich auch von dem, was man im ersten Königreich der Himmel spürt. Gemäß der Gerechtigkeit Gottes gibt es viele andere Unterschiede bezüglich der Umgebung und der Lebensbedingungen an den jeweiligen Orten im Himmel. All das verdanken wir der liebevollen Einschätzung Gottes. Er erlaubt, dass Menschen mit einem ähnlich ausgeprägten Geist zusammenleben, so dass sie die größtmögliche Freiheit und das größte Glück empfingen – an allen Orten. So leben die Leute an ihrem jeweiligen Bestimmungsort im Himmel. Für dieses Leben haben sie den passenden Leib, der ihrem geistlichen Raum angepasst ist.

… Kapitel 2

Geist, Seele und Leib im geistlichen Raum

Die Gabe Gottes hängt davon ab,
inwieweit jemand hier in der physischen Welt daran gearbeitet hat,
dass sein Geist, seine Seele und sein Leib vom Geist geleitet werden.
Er beschenkt uns mit der herrlichen Ehre,
in unserer himmlischen Wohnung zu leben und wunderbare Kleider,
Kronen sowie andere Accessoires zu tragen,
weil wir Ihm auf Erden gedient haben.

1. Die geistliche Gestalt

2. Leib und Seele gehören zum Geist

3. Gottes Gabe

In Filmen oder Fernsehserien sehen wir manchmal, wie der Geist, der ausschaut wie der Schauspieler, dessen Körper verlässt. Dieser Geist, der aus dem Leib herauskam, sieht dann, wie der Körper einfach daliegt und fragt sich verwundert: „Warum liegt da jemand wie ich auf dem Boden?" Gibt es so etwas nur im Kino oder im Fernsehen? Die Bibel beschreibt die Existenz des geistlichen Raums und unseren Geist.

Damit wir später im ewigen Reich der Himmel leben können, brauchen wir einen Geist, eine Seele und einen Leib, der in den geistlichen Raum gehört. Alle Menschen werden mit einem Geist geboren, der tot ist, weil Adam im Garten sündigte. Daraus resultiert, dass sie ihren Gelüsten folgen. Doch sobald sie Jesus Christus annehmen und den Heiligen Geist empfangen, wird ihr toter Geist wiederbelebt und sie können zu wahren Kindern Gottes werden, die sich nach dem geistlichen Raum sehnen.

Gott schuf den Menschen und war über die gesamte Menschheitsgeschichte hinweg für ihn da, so wie ein Bauer, der auf seinem Acker Samen aussät und diesen kultiviert. Erst wenn wir Seine Vorsehung verstehen, erleben wir, wie unser toter Geist wieder lebendig wird. Erst dann können wir dafür sorgen, dass unser Geist, unsere Seele und unser Leib zum Geist gehören und von Ihm geleitet werden. Wir können das Leben im Himmel in Ewigkeit in einem vollendeten Leib genießen, aber erst, wenn wir einen Geist, eine Seele und einen Leib haben, die für das Leben im dritten Himmel – dem Raum des Lichtes – geschaffen sind.

Wie werden wir in diesem Raum des Lichtes aussehen? Auf der Erde bestehen wir aus Geist, Seele und Leib, die für den physischen Raum geeignet sind. Wenn wir uns aber in den geistlichen Raum begeben, müssen Geist, Seele und Leib der neuen Umgebung angepasst sein.

1. Die geistliche Gestalt

Die geistliche Form ist die Gestalt des Geistes. Sie kann als Gefäß betrachtet werden, in dem sich der Geist befindet. Alle geretteten Personen haben eine Form, die dem Himmel gehört und ihre Herrlichkeit unterscheidet sich von einem Menschen zum anderen. Das Licht der geistlichen Leiber ist auch unterschiedlich, je nachdem wie heilig jemand war. Wir werden einen auferweckten Leib haben und anschließend den vollendeten Leib empfangen.

Mit „Form" ist die „Gestalt" einer Substanz gemeint. Wenn wir einen Adler am Himmel fliegen sehen, können wir sagen, dass es ein Adler ist, weil er eine bestimmte Form oder Figur hat. Löwen haben die Figur von Löwen, Adler haben die Gestalt eines Adlers. Wir können sie also voneinander unterscheiden.

Der physische Körper ist die körperliche Gestalt, die wir mit unseren Augen sehen können. Im Falle des Menschen haben wir eine Gestalt, die auf diese Erde gehört – den physischen Körper-, aber wir können auch eine geistliche Form oder Gestalt haben, die in den Himmel gehört.

Im 1. Korinther 15,38-40 erfahren wir: „*Gott aber gibt ihm einen Leib, wie er gewollt hat, und jedem der Samen seinen eigenen Leib. Nicht alles Fleisch ist dasselbe Fleisch; sondern ein anderes ist das der Menschen und ein anderes das Fleisch des Viehes und ein anderes das der Vögel und ein anderes das der Fische. Und es gibt himmlische Leiber und irdische Leiber. Aber anders ist der Glanz der himmlischen, anders der der irdischen.*" So wie wir eine sichtbare Gestalt haben – also unseren Körper-, haben wir auch einen Geist, der eine Form hat. Man könnte sagen, dass die geistliche Form das Gefäß für den Geist ist. Wenn das Leben eines Menschen hier auf der Erde zu Ende geht, wird der Inhalt seiner Seele nicht ausgelöscht, sondern ist im geistlichen Leib enthalten. Das Licht der geistlichen Körper unterscheidet sich und ist abhängig davon, wie sehr derjenige auf der Erde die Wahrheit praktiziert hat. Der geistliche Leib sieht bei jedem Menschen anders aus, man kann sie also voneinander unterscheiden. Sieht man das Licht des geistlichen Körpers, kann man daran erkennen, an welchem Ort er im Himmel leben wird, wenn Gott ihn in dem Moment zu sich ruft.

Die Gestalt oder Form des Geistes ist keine schattenhafte Figur. Sie ist definitiv fest. Es scheint zwar, als hätte sie ein Gewicht, aber dem ist nicht so. Doch obwohl es sich anfühlt, als hätte sie kein Gewicht, gibt es eines. Es ist so, als würde man ein Stück von einem sehr dünnen Taschentuch nehmen. Man hat den Eindruck, es würde nichts wiegen, aber Fakt ist, dass es etwas wiegt. Das soll nicht heißen, der Geist wäre so schwach, dass der Wind ihn wegblasen kann. Er ist so leicht, dass er nicht gewogen werden kann, aber dennoch ist er stabil.

Die geistliche Gestalt von Adam

Adam war der erste Mensch, den Gott schuf. Er schuf seine inneren Organe, Knochen und den gesamten Körper und machte ihn zu einem lebendigen Wesen, genauer gesagt zu einer lebendigen Seele, als Er ihm den Odem des Lebens einhauchte. So fing Adams Herz an zu schlagen, sein Blut zirkulierte, seine Organe und Zellen funktionierten. Er war ein schönes Wesen aus Fleisch und Blut, das nie älter wurde und auch nie gestorben wäre. Hinzu kommt, als Gott ihm den Lebensodem einhauchte, hatte Adams Geist die gleiche Gestalt wie sein physischer Körper. So wie Adams Leib eine Form hatte, hatte auch sein Geist eine. Diese sah, wie erwähnt, so aus wie sein Körper. Adams Geist hatte die exakte Form seines physischen Körpers. So wie Adams Körper eine Form hatte, bekam auch sein Geist eine Gestalt, die so aussah wie sein physischer Leib. Adams Geist, der mit Gott kommunizieren konnte, und Adams Seele, die dem Geist zu helfen vermochte, befanden sich beide in seinem Leib.

Adam hielt sich an das Wort Gottes und kommunizierte mit Ihm, weil seine Seele und sein Leib seinem Geist gehorchten. Als er geschaffen wurde, war sein Geist, der in seinem geistlichen Leib wohnte, wie ein leeres Blatt. Gott führte ihn in den Garten Eden und brachte ihm geistliches Wissen bei. Dann sagte er zu Adam: „ *…aber vom Baum der Erkenntnis des Guten und Bösen, davon darfst du nicht essen; denn an dem Tag, da du davon isst, musst du sterben!"* (1. Mose 2,17).

Nachdem er eine lange Zeit im Garten Eden verbracht hatte, aß Adam von der verbotenen Frucht, die Eva ihm gab und von der auch sie gegessen hatte, weil Satan sie dazu verführt hatte. So trat ein, was Gott vorausgesagt hatte. Beide würden eines

Tages sterben müssen. Adams Geist starb sofort und seine Kommunikation mit Gott wurde gekappt.

Natürlich kam Adams Geist von Gott, so dass er nie vollkommen ausgelöscht werden konnte. Der Odem des Lebens, den Gott Adam eingehaucht hatte, war unvergänglich, das heißt er konnte „nie vergehen".

Wenn man sagt, dass sein Geist „starb", bedeutet das, dass die Kommunikation mit Gott abgeschnitten wurde und total einbrach. Da sein Geist nicht mehr aktiv war, übernahm die Seele die Position des Meisters über den Menschen und herrschte über den Leib. Seit dem Sündenfall Adams versickerte das geistliche Wissen, über welches Adam als lebendiger Geist verfügte, langsam. Dann drangen fleischliche Eigenschaften, die der Finsternis angehören, in den geistlichen Leib ein. Von da an unterlag Adams Körper der Kontrolle der physischen Ordnung. Er wurde zu einem Wesen, das sich veränderte, alterte und am Ende tatsächlich physisch starb.

Die geistliche Gestalt einer Person zum Zeitpunkt des Todes

Stirbt der physische Leib eines Menschen, bilden sein Geist und seine Seele eine geistliche Einheit und existieren für ewig. Die Seele wird auch durch den Tod nicht ausgelöscht, weil sie mit dem Geist verbunden ist und weiterhin seelisch funktioniert. Auch wenn der Körper tot ist und das Gehirn nicht mehr funktioniert, bleibt das im Gedächtnis vorhandene Wissen in geistlicher Form bestehen. Gedanken und Gefühle bleiben. Diese Kombination aus Geist und Seele kann man als „geistliche Seele" beschreiben, wobei wir aber meistens nur vom „Geist" sprechen.

Einerseits strahlt und leuchtet der geistliche Leib der Leute, die Jesus Christus angenommen haben, sich nach dem Wort richten und das Recht erlangen, in den Raum des Lichtes zu gehen. Auf der anderen Seite ist die geistliche Gestalt der Leute finster, die keine Gemeinschaft mit Gott – Er ist Licht – hatten, in Sünde lebten und – von der Welt befleckt Böses – taten.

In dem Moment, wo jemand stirbt, sieht ein geretteter Mensch vollkommen anders aus, als jemand, der Jesus nicht kannte. Die, die nicht gerettet waren, sterben normalerweise mit weit geöffneten Augen voller Furcht. Die Erretteten dagegen, haben die Augen zu und schlafen friedlich ein. Sie wissen, in dem Moment, wenn ihr Geist aus ihrem Leib heraustritt, wartet der Himmel – und nicht die Hölle – auf sie.

Manche von denen, die nicht gerettet sind, sehen die Botschafter der Hölle, die auf sie warten. Diese Botschafter sind vom Scheitel bis zur Sohle voller Finsternis. Sie tragen schwarze Roben. Ihr Gesicht ist blass, ihre Lippen schwarz-rot und von ihren Augen geht eine fürchterlich düstere Energie aus. Wie sehr muss wohl ein solcher Mensch von Angst erfüllt sein, wenn sich ihm die Boten der Hölle in einer derart grotesken Aufmachung nähern! In dem Augenblick wird demjenigen auch klar, dass es Himmel und Hölle gibt – und er stirbt angsterfüllt. Für ihn ist es zu spät. Selbst wenn er seine Vergangenheit dann bereut, gibt es für ihn keine Hilfe mehr. Er kann nicht verhindern, dass er in die Hölle gezerrt wird.

Doch die, die an ihrem Glauben festhalten und ein gutes Christenleben führen, werden vor nichts Angst haben. Sie sehen zwei Engel in weißen Roben, die auf sie warten, kurz bevor sie sterben. Darum sind ihre Wangen rosig und sie haben Frieden. In dem Moment, wo ihr Geist von ihrem Körper getrennt wird, empfinden sie eine überwältigende Freude und unaussprechliches Glück.

Einmal starb eine Gläubige, nachdem sie einige Zeit als Christin in unsere Gemeinde gekommen war. Sie war wirklich gutherzig und so sanftmütig, dass sie nie mit jemandem Schwierigkeiten oder Probleme hatte. Sie lebte mit allen in Frieden und sprach in Demut nur Worte, die von Güte, Liebe und Wahrheit geprägt waren. Sie liebte Gott innig und Sein Dienst stand bei ihr immer an oberster Stelle. Sie hielt nicht zurück, wenn es um das Königreich Gottes ging. Ich konnte ein sehr helles Licht um ihr Grab herum sehen. Als ich die Würde der Engel sah, die kamen, um ihren Geist abzuholen, konnte ich mir ausmalen, in welch eine wunderschöne Wohnung sie im Himmel einziehen würde.

Der geistliche Leib der Erretteten

Wenn jemand, der gerettet ist, auf der Erde stirbt, verlässt sein Geist seinen Körper. Zwei Engel werden seinen Geist eskortieren und ihn in den Wartesaal des Himmels begleiten. Vor der

Auferstehung des Herrn diente das obere Grab im Himmel als Wartesaal. Das änderte sich danach. Die Seele (gemeint ist die geistliche Seele) bleibt in einen anderen Wartesaal am Rande vom Paradies. Die Leute, die zu Zeiten des Alten Testament gerettet wurden, zogen auch an diesen Ort um.

Seit der neutestamentlichen Zeit kommt der Geist der Erretteten, wenn sie entschlafen, zunächst ins obere Grab. Dort bleiben sie drei Tage lang, um sich an den geistlichen Raum zu gewöhnen und das nötige Wissen darüber vermittelt zu bekommen. Nach diesem Training kommen sie in den Wartesaal am Rande vom Paradies. Die menschliche Zivilisation geht erst zu Ende, wenn der Herr in der Luft wiederkehrt. Danach kommt das Tausendjährige Reich und wenn das vorbei ist, folgt das Gericht vor dem großen weißen Thron, bei dem Gott jedem eine himmlische Wohnung gibt und Seine Belohnungen gemäß dessen verteilt, was die Menschen auf Erden getan haben.

Welche geistliche Form oder Gestalt werden die haben, die errettet sind? Wenn wir etwas über die geistliche Gestalt oder den geistlichen Leib wissen, können wir die Auferstehung und die Entrückung besser verstehen. Stirbt jemand als Kind, ist seine geistliche Gestalt die eines Kindes. Stirbt jemand in seiner Jugend, ist seine geistliche Form die eines Jugendlichen. Stirbt ein Mensch alt, sieht seine geistliche Form alt aus. Allerdings hat man in seinem geistlichen Leib weder einen Bart noch Behinderungen, Narben oder Falten. Selbst wenn eine Person an einer Krankheit stirbt, ist ihr geistlicher Leib gesund und schön. Der geistliche Leib von älteren Leuten sieht so ähnlich aus, wie ihr physischer Körper zum Todeszeitpunkt. Aber sie sehen nicht schwach aus. Vielmehr ist ihre Erscheinung gesund und ihr Körper voller Energie.

Sie alle tragen weiße Roben und von ihren geistlichen Leibern geht Licht aus. Die Stärke des Lichtes variiert von Person zu Person. Je mehr jemand geheiligt ist, desto heller und schöner ist das Licht. Ihnen wird eine Wohnung und ein gewisser Grad an Herrlichkeit und Ehre verliehen, je nach der Helligkeit des Lichtes, das von Mensch zu Mensch verschieden ist. Bei Frauen ist das Haar unterschiedlich lang, je nachdem, wie sehr sie sich geheiligt haben. Im 1. Korinther 11,15 lesen wir: *„...wenn aber eine Frau langes Haar hat, es eine Ehre für sie ist? Denn das Haar ist ihr anstatt eines Schleiers gegeben."*

Die Frauen, die ins Paradies, das erste oder zweite Königreich der Himmel kommen, werden schulterlanges Haar haben. Bei denjenigen, die im dritten Himmel leben werden, reicht es bis zur Hälfte des Rückens und für Frauen, die ins neue Jerusalem einziehen, bis an die Hüfte. Bei den Männern ist das Haar gleich lang bis zum Nacken. Im Himmel sind die Haare sowohl bei Männern als auch bei Frauen lockig.

Die geistliche Gestalt ist im Wartesaal des Himmels noch nicht vollständig oder vollendet. Die Leute dort warten noch auf die Wiederkunft des Herrn in der Luft, was für sie die Zeit ihrer Auferstehung sein wird. Sie bekommen den auferstandenen Leib erst, wenn der Herr wieder in der Luft erscheint.

Der auferstandene Leib

Wenn der Herr in der Luft zurückkommt, werden die Seelen aus dem Wartesaal des Himmels wieder mit ihrem physischen Körper vereint, der bereits vom Grab wieder auferweckt wurde. Darum sagt die Bibel, dass diejenigen, die gläubig starben, nicht tot sind, sondern schlafen. Ihr Körper, der tot war und begraben wurde, wird auferweckt und in die Luft entrückt. Er verbindet sich wieder mit der dazugehörigen geistlichen Seele. Diesen wiedervereinten Leib bezeichnen wir als den „auferstandenen Leib".

Wenn sich der Leib im Grab nach einer langen Zeit in eine Handvoll verwandelt oder wenn er eingeäschert wurde, wie kann er dann auferweckt und wieder mit dem Geist verbunden werden? Wenn auch für unsere Augen unsichtbar, existieren die Elemente, die den Körper ausmachten, immer noch auf dieser Erde. Bei der Wiederkunft des Herrn werden sie eingesammelt und durch die Kraft Gottes zusammen auferweckt. Der Körper trifft wieder auf die geistliche Seele und wird zu einem kompletten Leib aus Geist, Seele und Leib.

Dann werden die, die noch leben, wenn der Herr kommt, einen geistlichen Leib bekommen und in die Luft aufgenommen werden, was wir als „Entrückung" bezeichnen. Man kann sich das wie einen gigantischen Magneten vorstellen, der Eisenstaub in die Luft zieht.

In 1. Thessalonicher 4,16-17 lesen wir: *„Denn der Herr selbst wird beim Befehlsruf, bei der Stimme eines Erzengels* *und bei dem Schall der Posaune Gottes herabkommen vom Himmel, und die Toten in Christus werden zuerst auferstehen; danach werden wir, die Lebenden, die übrig bleiben, zugleich mit ihnen entrückt werden in Wolken dem Herrn entgegen in die Luft; und so werden wir allezeit beim Herrn sein."*

In 1. Korinther 15,51-53 heißt es: *„Siehe, ich sage euch ein Geheimnis: Wir werden nicht alle entschlafen, wir werden aber alle verwandelt werden, in einem Nu, in einem Augenblick, bei der letzten Posaune; denn posaunen wird es, und die Toten werden auferweckt werden, unvergänglich sein, und wir werden verwandelt werden. Denn dieses Vergängliche muss Unvergänglichkeit anziehen und dieses Sterbliche Unsterblichkeit anziehen."*

Die geretteten Seelen werden dem Herrn in der Luft begegnen und sieben Jahre lang Hochzeit feiern. Mit der „Luft" ist hier der besondere Raum gemeint, der sich auf einer Seite von Eden im zweiten Himmel befindet. Eden ist ein riesiger Ort. Dort ist auch der Garten Eden gelegen. Bei dem siebenjährigen Hochzeitsmahl werden die Seelen der Geretteten getröstet und können die Zeit genießen. Sie sollen ihren Beitrag zur Menschheitsgeschichte auf der Erde feiern. Es ist auch eine Zeit, in der sie Gott danken, wenn sie sich an das Leben auf der Welt erinnern.

Wenn sie in einen auferstandenen Leib verwandelt werden, können sie den Grad der Heiligung sehen, den sie erreicht haben, weil sie ihr Herz für den Herrn entwickelt hatten. Sie werden außerdem eine vage Vorstellung davon haben, welche Belohnungen und welchen Grad der Herrlichkeit sie später beim Jüngsten Gericht erhalten. Sie nehmen zunächst in ihrem auferstandenen Leib an der sieben Jahre dauernden Hochzeit in der Luft teil und kommen danach auf die Erde zurück, um hier die nächsten Tausend Jahre zu verbringen.

Wie unterscheidet sich der auferstandene Leib vom geistlichen? Der auferstandene Leib und die geistliche Gestalt können beide den geistlichen Raum wahrnehmen, allerdings auf unterschiedliche Art und Weise. Die geistliche Form allein ist im geistlichen Raum nicht komplett. Man könnte sagen, jemand hat die Grundform, die er für den geistlichen Raum braucht, wenn er einen auferstandenen Leib hat. Der geistliche Leib sieht wie die Person aus, als sie auf der Erde starb. Dagegen sieht der auferstandene Leib wie der eines Dreiunddreißigjährigen aus.

Jesus beendet Sein irdisches Leben im Alter von dreiunddreißig Jahren. Mit dreiunddreißig ist man auf der Höhe seines Lebens, so wie die Sonne mittags ihren Höchststand erreicht. Da ist man reif genug aber noch nicht zu alt; man ist voller Energie und Elan. Nachdem der Mensch das dreißigste Lebensjahr überschritten hat, erreicht er bald die Reife seiner Schönheit. Würde man die Menschen mit Blumen vergleichen, entspräche dies der Blütezeit.

Darum gab Gott Seinen Kindern einen geistlichen Leib, der aussieht wie der eines Dreiunddreißigjährigen. Die Männer werden 1,90 Meter und die Frauen etwa 1,70 Meter sein. Keiner wird zu dick oder zu dünn sein. Alle werden eine wunderschöne Erscheinung haben.

Der auferstandene Leib ist berührbar. Man kann ihn mit den Händen physisch fühlen, denn er besteht aus Geist und Seele, die sich mit dem auferstandenen Leib verbunden haben. Jesus Christus selbst zeigte sich mit Seinem auferweckten Leib. Der Auferstandene erschien Seinen Jüngern und sagte: *„Seht meine Hände und meine Füße, dass ich es selbst bin; betastet mich und seht! Denn ein Geist hat nicht Fleisch und Bein, wie ihr seht, dass ich habe"* (Lukas 24,39). Wie Er selbst sagte, besteht ein auferstandener Leib aus Fleisch und Knochen.

Der auferstandene Leib ist unvergänglich und nicht an die physischen Begrenzungen dieser Welt gebunden. Der auferstandene Herr erschien Seinen Jüngern, nachdem Er durch eine Wand gegangen war, was wir in Johannes 20,19 und 26 nachlesen können. In Johannes 20,22 heißt es, dass Jesus Seine Jünger anhauchte. Der auferweckte Leib kann also atmen, essen und trinken. Das konsumierte Essen löst sich auf und wird wieder ausgeatmet. Ist es nicht erstaunlich, dass verzehrtes Essen sich auflöst und mit einem duftenden Aroma wieder ausgeatmet wird?

In Lukas 24,41-43 steht geschrieben: *„Als sie aber noch nicht glaubten vor Freude und sich wunderten, sprach er zu ihnen: Habt ihr hier etwas zu essen? Sie aber reichten ihm ein Stück gebratenen Fisch; und er nahm und aß vor ihnen."* Der Herr aß mit Seinen Jünger, damit sie an die Auferstehung glauben und etwas über den auferstandenen Leib lernen würden. Darüber hinaus sollten sie wissen, dass ein geistlicher Leib essen kann. Maria Magdalena und die Jünger erkannten den

Auferstandenen zunächst nicht. Der Grund war das Licht, dass vom auferstandenen Leib Jesu ausging. Dieser Leib hatte keine Wunden, doch Jesus zeigte Thomas, der zweifelte, Seine Hände. Er ließ ihn die Wunden für einen Moment sehen, damit er Glauben haben konnte.

Der vollendete himmlische Leib

Wir lesen, dass diejenigen, die einen auferstandenen Leib haben, in die Luft entrückt und zum sieben Jahre währenden Hochzeitsmahl gehen werden. Anschließend kommen sie mit demselben Leib für tausend Jahre zurück auf die Erde. Wenn sie vorbei sind, erben die Menschen ihre jeweilige Wohnung im Himmel beim Gericht vor dem großen weißen Thron. Wenn das passiert, werden sie verwandelt und bekommen einen vollendeten himmlischen Körper. Dieser kann als geistlicher Leib betrachtet werden, der auf einer höheren Ebene als der auferweckte Körper ist. Warum lässt uns Gott durch dieses Zwischenstadium gehen? Warum bekommen wir erst einen auferweckten Leib und nicht gleich einen vollendeten?

Das ist vor allem deshalb so, weil das Königreich der Himmel sich im dritten Himmel befindet. Dagegen findet das siebenjährige Hochzeitsfest im zweiten Himmel statt. Beide unterscheiden sich stark, beispielsweise in der Dichte des Geistes und im Zeitfluss. Darum gibt uns Gott einen Leib, der auf den jeweiligen Ort zugeschnitten ist. Die geistliche Form, also der auferweckte Leib, und der vollendete Körper, haben unterschiedlich glänzendes Licht, ähnlich wie ein Polarlicht, welches sie je nach Grad der von ihnen erreichten Heiligung verströmen. Zusätzlich dazu, dass ihr Licht sich gemäß ihrer Heiligung unterscheidet, lässt der vollendete Leib auf die Belohnungen und Herrlichkeit schließen, die ein Mensch von Gott bekommen hat. Das ist der wichtigste Unterschied zwischen dem auferweckten und dem vollendeten himmlischen Leib.

Wenn die menschliche Zivilisation zu Ende geht, wird für jeden die jeweilige Ebene der Heiligung festgestellt; die Anzahl der Belohnungen wird davon abhängen. Sieht man das geistliche Licht einer Person, kann man die verschiedenen Stufen ihrer Herrlichkeit und ihres Lohnes erkennen. Allerdings werden all diese Dinge erst nach dem Gericht vor dem großen weißen Thron offenbart. Wir werden den vollendeten himmlischen Leib erst bekommen, nachdem Gott die Herrlichkeit und die Belohnungen eines jeden öffentlich anerkannt und verkündet hat.

Das Licht der Herrlichkeit

Der geistliche Leib hat ein Licht, das in seinem Glanz dem Polarlicht gleicht. Die Brillanz hängt von der Ebene der Heiligkeit ab, die jemand hier auf Erden erreichte. Darum bezeichnet man sie auch „Licht der Herrlichkeit". Je mehr jemand dem Herrn in Seiner Herrlichkeit und Seinem Wesen ähnelt, desto klarer und heller wird dieses Licht sein. Wir werden auch jedermanns geistlichen Rang an der Helligkeit des Lichtes ablesen können. Insbesondere wird sich das Aussehen derer im zweiten und dritten Königreich des Himmels stark unterscheiden. Das liegt am Licht der Herrlichkeit, an der Kleidung, die sie tragen, an den Mustern und Accessoires und an ihrer Frisur.

In Offenbarung 19,8 lesen wir: *„Und ihr wurde gegeben, dass sie sich kleide in feine Leinwand, glänzend, rein; denn die feine Leinwand sind die gerechten Taten der Heiligen."* Wie erwähnt tragen sowohl Männer als auch Frauen im Himmel feines weißes Leintuch.

Die Kleider sind so weich wie Seide und flattern, weil sie so leicht sind. Es gibt keinen Staub und die Menschen schwitzen nicht, so dass ihre Kleidung nie schmutzig wird, selbst wenn sie lange getragen wird. Es gibt viele Accessoires und Muster, wodurch himmlische Kleider unvergleichlich herrlicher sind als irdische. Außerdem erstrahlen diese Kleider unter anderem in den Farben des Regenbogens.

Es gibt Kleider für den Alltag, für Feierlichkeiten, Gottesdienste, zum Sport und sogar zum Spielen von Videospielen. Man zieht sich je nach Anlass an. Im Himmel werden die Menschen für das belohnt, was sie auf der Erde getan haben. So unterscheidet sich die Anzahl und Art der Kleidungsstücke, die jeder bekommt. Manche Leute haben nur ein paar, andere haben unzählig viele verschiedene Kleidungsstücke. Natürlich sagt die Kleidung nicht alles über die Herrlichkeit aus. Man kann ihre Herrlichkeit und ihre

Belohnungen neben den Kronen, die sie auf dem Haupt tragen, auch an ihren Medaillen ablesen.

Anzahl, Art, Licht und Pracht der Kronen sind unterschiedlich je nachdem, in welchem Maß jemand die Heiligkeit praktiziert und dem Königreich Gottes im Glauben treu gedient hat. Die Dichte, das Schema und die Klarheit der Brillanz der Farben sind im Himmel von Ort zu Ort verschieden. Aber selbst auf der niedrigsten Ebene im Himmel sind die Kleider herrlicher, schöner und klarer in ihren Farben als dies hier auf Erden je der Fall ist. Der vollendete himmlische Körper allein ist bereits so schön, dass er eigentlich keine Accessoires oder andere Schmuckelemente bräuchte. Doch Gott gibt jedem gemäß seinen Taten Kleidung, Kronen und andere Accessoires.

2. Leib und Seele gehören zum Geist

Die erretteten Kinder Gottes werden nach dem Gericht vor dem großen weißen Thron im Himmel in einem vollendeten Leib leben. Dieser perfekte himmlische Körper hat eine Seele, die dem Geist gehorcht. Ein geistlicher Leib produziert übrigens keine Abfallprodukte.

Warum ist es so wichtig, dass man über Geist, Seele und Leib Bescheid weiß? Der Grund ist, dass wir Geist, Seele und Leib wiedererlangen müssen, denn sie wurden durch Adams Sünde verändert. Darum ließ Gott den Menschen auf dieser Erde leben. Wenn wir Jesus Christus annehmen und den Heiligen Geist empfangen, wird unser toter Geist wieder lebendig. In dem Maße, wie wir den Geist wiedererlangen, werden Seele und Körper dem Geist gehören und gehorchen. Dann können wir Menschen sein, die dem Heiligen Geist gehören.

Wenn jemandes Seele und Leib dem Geist gehört, kann man von einer Seele sprechen, der es „wohlgeht". Dies finden wir in 3. Johannes 1,2. Dort heißt es: *„Geliebter, ich wünsche, dass es dir in allem wohlgeht und du gesund bist, wie es deiner Seele wohlgeht."*

Wenn es jemandes Seele wohlergeht, kann diese Person fleischliche Gedanken abschneiden. Wenn sie aufhören will, etwas zu denken, kann das sofort geschehen. So jemand kann aufhören, bestimmte Dinge zu riechen oder zu hören. Er kann das Empfinden von Schmerzen an- oder abschalten. Da

Gedanken und Emotionen mit dem Willen kontrolliert werden können, ist so ein Mensch immer von Freude und Dankbarkeit erfüllt (Römer 8,6). Solche Leute sind gesund und es geht ihnen in allen Bereichen gut. Krankheiten können ihnen nichts anhaben, weil sie auch ihren Körper kontrollieren. Selbst wenn sie einen Fehler machen und krank werden sollten, können sie dies im Glauben sofort überwinden.

Eine dem Geist gehörende Seele

Adam, der erste Mensch, den Gott schuf, war ein lebendiger Geist. Er hatte einen Geist, eine Seele und einen Leib, der dem Geist gehörte. Sein Geist war sein Herr und Meister. Er kontrollierte seine Seele und seinen Körper in der Wahrheit. Doch ab dem Zeitpunkt, an dem er sündigte und sein Geist starb, gehörten sein Geist, seine Seele und sein Leib dem Fleisch. Als der Mensch eine lebendige Seele war, wurde er ausschließlich mit der Wahrheit Gottes versorgt. So funktionierte seine Seele gemäß dem, was der Geist sagte. Doch dann bekam Satan die Kontrolle über die Seele des Menschen, da dessen Geist gestorben war. Mit einem toten Geist wurde die Seele des Menschen nicht mehr vom Geist geleitet.

Doch wenn ein Mensch Jesus Christus annimmt, kann seine Seele wieder von seinem Geist geleitet werden – und zwar in dem Maße, wie er mit dem Heiligen Geist geht und dem Wort Gottes gehorcht. Da, wo sein Wissen und seine Theorien mangelhaft sind und Gott nicht gefallen, werden sie von der

Wahrheit ersetzt. Dies steht in 2. Korinther 10,4-5: *„[S]o zerstören wir überspitzte Gedankengebäude und jede Höhe, die sich gegen die Erkenntnis Gottes erhebt, und nehmen jeden Gedanken gefangen unter den Gehorsam Christi."*

Der Mensch empfängt die Werke von Satan in dem Maße, wie seine Seele dem Fleisch gehört. Selbst wenn er sich vom Geist leiten lassen will, kann er es nicht umsetzen. Er muss immer wieder versuchen, das Funktionieren seiner Seele so zu ändern, dass sie sich nach der Wahrheit richtet, indem er seine Gedanken, Worte und Taten ständig prüft. Bemüht er sich darum und betet eifrig dafür, kommt er mit der Gnade und Kraft Gottes und mithilfe des Heiligen Geistes auch an den Punkt, wo sich seine Seele wieder vom Geist leiten lässt.

Eine Seele, die dem Geist gehört, gehorcht dem Geist, denn der Geist übernimmt wie ursprünglich angedacht die Rolle des Herrn und Meisters. Dann hat die Person nur noch gute, liebevolle und wahre Gedanken, denn ihre Seele wird allein vom Geist getrieben. Selbst wenn andere Leute dann zum Beispiel unhöflich sind oder ihm etwas Böses antun, ist jemand, dessen Seele sich ganz vom Geist leiten lässt, nicht verletzt. Er wünscht sich nur Frieden und versteht andere Menschen, ohne mit ihnen zu streiten. Anstatt sich mächtig zu ärgern, hat er Mitleid mit anderen, die das Böse in sich haben.

Natürlich haben auch Leute, deren Seele es gut geht, noch Unwahrheiten, die in ihrem Gedächtnis sind. Doch obwohl dies der Fall ist, kann Satan damit nichts anfangen, sobald die Unwahrheiten aus dem Herzen verbannt werden. So jemandes

Seele lässt sich allein vom Geist leiten. Er folgt der Führung des Heiligen Geistes, so dass er die Dinge, die er nicht sehen soll, auch nicht wahrnimmt. Er richtet und verurteilt niemanden und lebt einfach gemäß der Wahrheit.

Wenn sich solche Menschen weiter vom Geist leiten lassen, funktioniert ihre Seele überhaupt nicht mehr gemäß dem Fleisch. Sie hassen es, etwas zu sehen, zu hören oder zu sagen, was nicht der Wahrheit entspricht. Das bedeutet, ihre Herzen sind von der Wahrheit erfüllt. Und da die Unwahrheit ganz aus ihrem Herzen vertrieben wurde, verschwinden auch unwahre Gedanken aus ihren Köpfen. Wenn wir unsere Herzen bis an den Rand mit der Wahrheit füllen, kann unsere Seele nur gemäß der Wahrheit „funktionieren".

Die Seele weiß alles, denkt aber nur an die Wahrheit

Wenn wir später in den Himmel kommen, geht nicht nur unser Geist dorthin. Auch unsere Seele findet in unserer geistlichen Gestalt Platz. Diese Seele gehört dem Geist, also der Wahrheit. Nur der Teil unsere Seele, aus dem die Unwahrheit vertrieben wurde und der mit der Wahrheit gefüllt ist, wird mit unserem Geist verbunden sein. Soll das heißen, dass wir im Himmel nichts mehr von der Unwahrheit wissen? Nein. Wir werden über die Unwahrheit Bescheid wissen – und zwar noch mehr als dies im Moment der Fall ist.

In 1. Korinther 13,12 steht: *„Denn wir sehen jetzt mittels eines Spiegels undeutlich, dann aber von Angesicht zu*

Angesicht. Jetzt erkenne ich stückweise, dann aber werde ich erkennen, wie auch ich erkannt worden bin." Die Spiegel, die man vor 2.000 Jahren verwendete, waren aus poliertem Silber oder Stahl oder aus polierter Bronze. Verglichen mit heutigen Spiegeln waren sie matt. Man sah den Umriss von Dingen, aber kein klares Ebenbild darin. Heutzutage sind Spiegel sehr klar. So ist es auch mit dem Himmel. Wir werden alles ganz deutlich sehen, sogar Dinge, von denen wir hier auf Erden nichts wussten.

Solange unsere Seele vom Geist geleitet wird, werden wir keine unwahren Gedanken haben oder Ressentiments hegen, selbst wenn uns manches einfällt, was uns auf Erden beschämt oder gedemütigt hat. Wir werden nur vom Geist geprägte Gedanken der Wahrheit haben – voller Sanftmut, Frieden und Barmherzigkeit.

Die Herzen andere Leute im Geist verstehen

Im Himmel kann man spüren und genau unterscheiden, was andere Menschen auf dem Herzen haben. So werden wir in der Lage sein, die Emotionen von anderen zu verstehen und wahrzunehmen. Menschen im Himmel haben keine bösen Gedanken im Herzen und es gibt weder Missverständnisse noch Vorurteile oder Verurteilungen. Besonders im neuen Jerusalem verstehen die Bewohner die Herzen ihrer Mitmenschen im Geist vollkommen. Jedes Wort ist rücksichtsvoll, liebevoll und dienend, so dass sie das Herz des anderen berühren. Sie verstehen neben dem Herzen von Gott dem Vater und dem Herrn auch die der anderen Menschen. So ist ihnen bewusst, wie Gott dachte und fühlte, als Er die Geschichte der Menschheit betrachtete. Und sie verstehen, was dem Herrn durchs Herz ging, als Er das Kreuz auf sich nahm.

Eines Tages ließ mich Gott fühlen, was Mose auf dem Herzen hatte. Ich begegnete Mose. Er stand in extrem hellem Licht und ein Aroma der Güte ging von ihm aus. Als er meine Hände hielt, empfing ich die Liebe Gottes. Als Mose den Mund auftat, um etwas zu sagen, war er kühn und würdevoll wie damals, als er dem Volk Israel in der Wüste das Wort Gottes brachte.

Mose ließ mich Dinge über seine Kindheit im ägyptischen Königspalast wissen. Er berichtete, wie er etwas über Gott den Allmächtigen erfuhr und dass er von seinem Kindermädchen, das eigentlich seine Mutter war, als Jude aufgezogen wurde. Er erzählte mir, wie das Volk Israel in der Wüste Götzendienst betrieb und wie es ihm als Leiter beim Auszug aus Ägypten emotional erging. Er hatte Tränen in den Augen, als er diese Augenblicke Revue passieren ließ.

Wenn jemand weint, wenn er sich an Geschehnisse auf der Erde erinnert, werden diese Tränen bald darauf in wunderschönes Licht verwandelt. Die Zuhörer können dabei die Güte und Liebe für die Seelen spüren, was sie tief im Herzen berührt.

Sie werden wieder dankbar für die Liebe Gottes, der ihnen das Glück des Himmels geschenkt hat und sie werden Ihm dafür aufrichtig die Ehre geben. Sie lieben Gott von ganzem Herzen, mit ihrer ganzen Seele und ihrem ganzen Verstand. Und ihre Liebe und ihre Dankbarkeit bleiben unverändert. Sie verstehen die Vorsehung Gottes genau und wissen, dass Er wahre Kinder haben wollte, die Seine Liebe teilen, obwohl dies bedeutete, dass Er im Laufe der Menschheitsgeschichte viele schmerzliche Dinge würde durchmachen müssen. Darum werden auch wir Ihm ewig und aus tiefstem Herzen dankbar sein.

Ein dem Geist gehörender Leib

Adam, ein lebendiger Geist, war nicht perfekt, denn ein Geist, der nichts vom Fleisch weiß, ist nicht perfekt. Aber auch Fleisch, das nichts über den Geist weiß, hat keinen Wert. Alle, die Jesus Christus nicht als ihren persönlichen Retter annehmen, sind vollkommen fleischliche eingestellte Personen. Als solche können sie nicht wirklich über Gottes Königreich und den geistlichen Raum Bescheid wissen. Sie werden in Ewigkeit im Feuer der Hölle schmoren. Welchen Wert haben sie dann? Nur diejenigen, die sowohl den Bereich des Fleisches als auch den des Geistes kennen und das Fleisch ablegen, um im Geist zu leben, haben als Mensch Wert.

In dem Maße, wie wir in unserem Herzen Heiligkeit praktizieren, wird unser Fleisch in etwas verwandelt, das dem Geist gehört. Diejenigen, die schwach und kränklich waren, werden in dem Maße gesund, wie sie sich vom Geist verwandeln lassen, auch wenn sie noch nicht vollkommen geheiligt sind.

Wenn wir uns in den Geist begeben, wird unser Geist die Seele und den Leib aufnehmen, so dass sie sich als eine Einheit bewegen. Obwohl wir in der physischen Welt leben, kontrollieren wir unsere Seele und unseren Leib durch den Geist. Das heißt, es ist so, als wären wir im geistlichen Bereich. Je nachdem wie gut wir das durch Adams Sünde verlorene Ebenbild Gottes wiedererlangen, können wir klar mit Gott kommunizieren und Segen empfangen. Dann wird es uns wirklich gut gehen.

Wenn wir vom Geist getriebene Menschen werden, verzögert sich der Alterungsprozess. Wenn wir uns vollkommen vom Heiligen Geist leiten und prägen lassen, werden wir verjüngt. Die Augen von Mose waren selbst als er im Alter von 120 Jahren starb, nicht schwach. Abraham zeugte Isaak, obwohl er dafür eigentlich zu alt war. Hinzu kommt, dass er vierzig Jahre nach Isaaks Geburt noch einmal sechs Kinder zeugte (1. Mose 25). Elia und Henoch legten alles Fleischliche ab und erreichten eine so tiefe Ebene des Geistes, dass sie den Charakter Gottes widerspiegelten. Sie standen nicht mehr unter dem Gesetz des geistlichen Raumes, das besagt, dass der Lohn der Sünde der Tod ist, und konnten somit den Tod umgehen.

Ein Körper, der keine Nahrungsmittel braucht

Wenn die Kinder Gottes in den Himmel kommen, werden sie einen vollendeten himmlischen Körper haben. Dieser wird nicht zugrunde gehen oder verfallen. Vielmehr werden wir damit das ewige Leben genießen. In Matthäus 26,29 heißt es dazu: *„Ich sage euch aber, dass ich von nun an nicht mehr von diesem Gewächs des Weinstocks trinken werde bis zu jenem Tag, da ich es neu mit euch trinken werde in dem Reich meines Vaters."* Der auferstandene Herr wird nichts mehr essen, bis die geretteten Gläubigen am Ende der menschlichen Zivilisation es mit Ihm tun. Ebenso wie der Herr brauchen wir, nachdem wir einen geistlichen Leib bekommen haben, nichts mehr zu essen, um zu überleben.

Doch die Aromen und Elemente im Essen im Himmel haben positive Auswirkungen auf den geistlichen Leib, sodass man zum Beispiel das Aroma von Blumen oder Früchten essen oder einatmen kann. Das geht einfach über die Nase, aber auch mit dem ganzen Körper oder durch das Herz. Als die Menschen im Alten Testament Tiere als Brandopfer darbrachten, roch Gott das Aroma in den Herzen derer, die diese Opfer brachten. Und auch heute noch nimmt Gott den Duft unser Herzen war, wenn wir Ihm im Gottesdienst in der Anbetung Opfer bringen.

Wenn man das Aroma einatmet, spürt man die große Freude und Glückseligkeit des Himmels. Selbst auf der Erde fühlt man sich besser, wenn man bestimmte Dinge isst. So bereitet es jemandem mit einem geistlichen Leib große Freude, wenn er diese Düfte einatmet. Im Himmel wird niemand müde oder der Dinge überdrüssig. Vielmehr spürt man dort Freude und Zufriedenheit, wenn man diese Aromen die ganze Zeit einatmet.

Atmet man den Duft der Früchte und Blumen ein, wird dieser vom Körper kurz absorbiert und dann wieder ausgeatmet. Dabei werden die Herzen der Menschen mit noch mehr Freude und Glück erfüllt.

Es gibt keine körperlichen Abfallprodukte

Der vollendete himmlische Körper ist tatsächlich ein Körper. Er kann riechen und Nahrung aufnehmen. Er kann verschiedene Früchte essen und Getränke, die mit dem Wasser des Lebens gemacht wurden, trinken. Neben den zwölf Früchten vom Baum des Lebens, gibt es im Himmel noch viele andere Früchte, von denen wir so viel und so oft wir wollen, essen können. Darüber hinaus gibt es viele unterschiedliche Getränke.

Werden wir im Himmel Dinge essen, die uns auf der Erde geschmeckt haben? Gibt es im Himmel Fleisch, Brot und Kuchen? Werden wir das Essen der Erde vermissen? Wenn wir in den Himmel kommen, werden wir nichts mehr von dem essen wollen, das wir auf der Erde gewöhnt waren. Sobald wir einen Leib haben, der am besten für den Raum im dritten Himmel geeignet ist, können wir ewig leben, ohne je etwas essen zu brauchen.

Natürlich kannst du dich an ein bestimmtes Essen erinnern, welches du auf der Erde gerne gegessen hast und vielleicht möchtest du im Himmel etwas Ähnliches haben. Dann könntest du so etwas Ähnliches zubereiten. Aber da die

Früchte und Getränke im Himmel so viel besser schmecken, würdest du physisches Essen aus der Vergangenheit gar nicht essen wollen.

Wenn wir im Himmel etwas essen, löst es sich auf und wird mit der Atmung ausgeschieden. Es gibt also keine Abfallprodukte wie auf der Erde. Das konsumierte Essen wird über die Atmung wieder ganz natürlich abgegeben, es bleibt aber vorher für einen kurzen Moment wie ein Duft da, bevor es verschwindet. Es ist sowohl bequem als auch erstaunlich, dass wir das Essen nicht wie hier verdauen und ausscheiden müssen! Es gibt dementsprechend auch keine Toiletten, wo unangenehme Gerüche entstehen könnten. Im Himmel werden wir einen vollendeten himmlischen Körper haben.

Das trifft auf alle Wohnstätten im Königreich der Himmel zu. Wenn allerdings ein größerer Teil unsere Seele zum Fleisch gehört und nur ein geringerer Teil davon dem Geist, ist der Glanz der geistlichen Gestalt schwach. Je nachdem inwieweit wie wir eine Seele entwickeln, die dem Geist gehört, bekommen wir eine Wohnung im Paradies, im ersten oder im zweiten Königreich der Himmel. In den dritten Himmel oder das neue Jerusalem kommen wir nur dann, wenn wir dafür sorgen, dass unsere Seele dem Geist komplett gehört, ohne dass auch nur der geringste Teil davon dem Fleisch gehört.

Gott lässt uns ernten, was wir gesät haben, und beschenkt uns gemäß dem, wie wir in Seiner Liebe und Gerechtigkeit gehandelt haben. Die Wohnung und der Rang im Himmel hängen von der Helligkeit unseres geistlichen Lichtes ab. Darum sollten wir eifrig dafür beten, dass wir mit Geist, Seele und Leib dem Geist Gottes gehören und uns ganz und gar von Ihm leiten lassen.

3. Gottes Gabe

Gott hat ein Geschenk für Seine geretteten Kinder vorbereitet: Es ist das ewige Leben im himmlischen Königreich. Jeder bekommt eine andere Wohnung, je nachdem wie wir unser Leben als Menschen auf der Erde geführt haben und zu einer Person geworden sind, die nach dem Herzen Gottes getrachtet hat.

Das Großprojekt Gottes, Gläubige zu ernten, die als „Weizen" bezeichnet werden, läuft bis heute. Er sucht nach denen, die gemäß Seinem Wort leben und an die Kraft und den Charakter Gottes glauben, welche sich in der Natur ablesen lassen. Er wünscht sind Seelen, die so rein und schön wie Kristall sind. In der Bibel lesen wir Dinge über die Endzeit. Die geistlich wachsamen unter uns spüren, dass das Ende der menschlichen Kultur kurz bevorsteht.

Seit dem Sündenfall Adams hat die Menschheit Kinder geboren und Gesellschaften aufgebaut. In ihrem Leben waren sie mit dem Altwerden, mit Krankheiten und dem Tod konfrontiert. Wenn die Menschheitsgeschichte vorbei ist, wird Gott alle Gläubigen in die „Luft" einladen, die sich im zweiten Himmel befindet. Er wird zu Beginn eine Hochzeit veranstalten und uns sieben Jahre lang unsere Liebe mit dem Herrn teilen lassen.

Die Offenbarung 19,7-9 beschreibt es so:

„Lasst uns fröhlich sein und jubeln und ihm die

Ehre geben; denn die Hochzeit des Lammes ist gekommen, und seine Frau hat sich bereitgemacht. Und ihr wurde gegeben, dass sie sich kleide in feine Leinwand, glänzend, rein; denn die feine Leinwand sind die gerechten Taten der Heiligen. Und er spricht zu mir: Schreibe: Glückselig, die eingeladen sind zum Hochzeitsmahl des Lammes! Und er spricht zu mir: Dies sind die wahrhaftigen Worte Gottes."

Die Liebe Gottes hat dort kein Ende. Wie das bei Frischvermählten der Fall ist, die in die Flitterwochen gehen, wird Gott uns nach dem Hochzeitsfest mit dem Herrn auf diese Erde bringen und wir werden tausend Jahre mit Ihm regieren. Er wird den ersten Himmel erneuern, der die Bühne für die Menschheitsgeschichte war. Alle Gläubigen werden ihre Liebe zum Herrn in vollem Maße teilen.

Wir lesen in Offenbarung 20,6: *„Glückselig und heilig, wer teilhat an der ersten Auferstehung! Über diese hat der zweite Tod keine Macht, sondern sie werden Priester Gottes und des Christus sein und mit ihm herrschen die tausend Jahre."*

Gott wird die Gaben und Belohnungen, die Er für Seine geliebten Kinder breitet hält, nach dem tausendjährigen Reich offenbaren. Beim Gericht vor dem großen weißen Thron wird Er die Belohnungen für das austeilen, was sie auf der Erde getan haben und Er wird ihnen eine Wohnung im Himmel gemäß dem Maß ihres Glaubens geben. Sie bekommen einen dauerhaften Wohnsitz im dritten Himmel, der frei von Tränen, Sorgen,

Schmerzen, Krankheiten und Tod ist. So können sie ein Leben voller Güte, Liebe, Freunde und Glück führen.

Jesus versprach in Johannes 14,2-3: *„Im Hause meines Vaters sind viele Wohnungen. Wenn es nicht so wäre, würde ich euch gesagt haben: Ich gehe hin, euch eine Stätte zu bereiten? Und wenn ich hingehe und euch eine Stätte bereite, so komme ich wieder und werde euch zu mir nehmen, damit auch ihr seid, wo ich bin."*

Wie sieht das ewige Königreich der Himmel aus und was für ein Leben werden wir dort haben?

Der neue Himmel und die neue Erde

Der „Himmel" im Himmel ist klar und hellblau. Gott wählte blau als Farbe für den Himmel, weil wir darin Tiefe, Höhe und Klarheit spüren können. Er will, dass Seine geliebten Kinder in Ewigkeit glücklich sind und Herzen haben, sie so klar und schön wie Kristall sind.

Im himmlischen Königreich sieht man auch Wolken als eine Art Dekoration, die seine Schönheit noch unterstreichen. Die Wolken bereiten den Bewohnern im Himmel Freude im Herzen. Wenn sie im neuen Jerusalem an die Liebe Gottes denken, Ihn dafür preisen und dann nach oben schauen, lesen die Engel die Gedanken ihrer Herren und machen herzförmige Wolken oder schreiben mit Hilfe der Wolken Dinge in den Himmel.

Das Licht von Gottes Herrlichkeit im Himmel lässt sich

nicht einmal mit dem Licht der Sonne vergleichen. Es erstrahlt an allen Enden, angefangen vom neuen Jerusalem bis hin zum Paradies (Offenbarung 22,5).

Das Licht von Gottes Herrlichkeit ist so klar und hell, dass wenn es auf diejenigen im Paradies scheinen würde, sie aufgrund seiner Brillanz nicht einmal den Kopf heben könnten. Darum verringert Gott die Helligkeit des Lichtes an den anderen Orten im Vergleich zum neuen Jerusalem. Je weiter man sich von dort und vom dritten Königreich der Himmel entfernt, um ins zweite und erste Königreich der Himmel oder ins Paradies zu gehen, desto matter wird der Glanz des Lichtes.

Dank der Kraft Gottes gibt es auch im Himmel vier Jahreszeiten: Frühling, Sommer, Herbst und Winter. Man braucht dort eigentlich keine vier Jahreszeiten, aber sie wurden dennoch für die Kinder Gottes vorbereitet, so dass sie die verschiedenen natürlichen Phänomene einer jeden Jahreszeit erleben und genießen können, wie die Herbstfärbung oder den Schnee im Winter.

Gott hat alles auf eine so perfekte und schöne Weise gemacht, dass wir auf der Erde die Schönheit der verschiedenen Jahreszeiten wahrnehmen können. Das heißt aber nicht, dass man das Wetter oder die Jahreszeiten im Himmel mit „kalt" oder „heiß" in Verbindung bringt. Die Jahreszeiten unterscheiden sich, werden aber nicht in heiße und kalte Abschnitte unterteilt. Die Temperatur wird allezeit vollkommen passend sein.

Der Boden im Himmel besteht nicht aus Staub, sondern

aus Gold, Silber und verschiedenen Edelsteinen. Stahl hat auf der Erde eine mittlere Dichte, aber wenn er zermahlen wird, kann der Wind ihn wegblasen. Wenn er aber kugelförmig ist, kann er nie vom Wind verweht werden. Gold, Silber und andere Edelsteine sind im Himmel kugelförmig, es gibt also keinen Staub.

Die Straße aus Gold und die aus Juwelen

An allen Wohnorten im Himmel gibt es eine goldene Straße. Natürlich unterscheidet sich ihr Glanz von Ort zu Ort. Je näher man ans neue Jerusalem herankommt, desto heller glitzert sie. Anders als reines Gold auf Erden ist das Gold im Himmel zwar hart, es fühlt sich aber weich an, wenn man darüber geht. Auf der Welt wäre ein Klumpen Gold, der so groß wie die Hand eines Mannes ist, ziemlich selten. Im Himmel sieht man eine endlose Straße aus Gold, die wie Glas schimmert. Man stelle sich einmal vor, wie herrlich das sein muss! Reines Gold symbolisiert die Unveränderlichkeit von geistlichem Glauben. Der helle Glanz der goldenen Straße unterscheidet sich an den Wohnorten, weil die himmlische Wohnstätte anhand vom Maß des Glaubens festgelegt wird.

Gott misst dem Gold im Paradies nicht viel Bedeutung bei. Aber wenn man vom ersten Königreich der Himmel ins zweite oder dritte geht, sind die Bewohner dort näher am vollkommenen Maß des Glaubens, so dass das reine Gold in den höheren Wohnstätten eine größere Bedeutung hat, die man an seinem schillernden Glanz ablesen kann.

Neben den Straßen aus Gold, gibt es noch andere Arten, zum Beispiel solche aus Blumen oder Edelsteinen. Es gibt außerdem Straßen, wo man durch die Kraft Gottes transportiert wird, wenn man sich einfach darauf stellt. Unsere geistliche Form ist sehr leicht, als würden wir gar nichts wiegen. Man kann also über die Blumen laufen, ohne sie zu beschädigen. Die Blumen freuen sich und verströmen noch mehr Düfte, wenn die Kinder Gottes in ihre Nähe kommen.

Die Straßen sind voller Juwelen, die wunderbares Licht verströmen. Wenn man darauf tritt, wird dieses Licht noch schöner. Die Edelsteine kann man allerdings nicht überall im Königreich der Himmel sehen. Sie werden nur in und um die Häuser derer eingesetzt, die dem Herrn vollkommen ähneln und während der Menschheitsgeschichte Großes zur Vorsehung beigetragen haben.

Der Strom vom Wasser des Lebens

Der Strom vom Wasser des Lebens hat seinen Ursprung am Thron Gottes. Er fließt durch das ganze Reich der Himmel und kehrt an seinen Ursprung zurück. Dieser Fluss ist so klar und rein wie Kristall und fließt so ruhig, dass es aussieht, als würde er gar nicht fließen. Er verdunstet nie und wird nie verschmutzt. Er ist wie die Wellen des Meeres, die an einem heiteren Tag die Sonnenstrahlen reflektieren und wie Juwelen glitzern. Er repräsentiert das Herz Gottes, der die Quelle vom Wasser des Lebens ist, das alles in der Natur wiederbelebt. Gottes Herz ist wunderschön, strahlend hell und ohne Flecken und Runzeln. Es ist absolut perfekt.

Die Tatsache, dass der Strom des Lebens überall im Königreich der Himmel fließt, bedeutet, dass Gott über alle Seelen im Himmel herrscht und sie sich wegen Seiner Gnade jeden Tag ihres Lebens freuen können. Das Wasser des Lebens hat einen leicht süßlichen Geschmack. Es ist etwas, was man hier auf der Erde nie finden würde. Es gibt uns Leben, Kraft und Glück, wenn wir es trinken.

In Offenbarung 22,2 heißt es, der Strom fließt inmitten der Straße. Es gibt also beiderseits davon Straßen. Er geht vom Thron Gottes aus und fließt an alle Enden des himmlischen Königreichs. Wenn man dies- oder jenseits des Flusses spazieren geht, kommt man am Ende irgendwann beim Thron Gottes an. Diese Tatsache bedeutet einfach, dass wenn wir gemäß dem Wort Gottes leben, welches das Wasser des Lebens symbolisiert, wir nicht nur ins Königreich der Himmel kommen, sondern auch den allerschönsten Wohnort dort, das neue Jerusalem, erreichen.

Zwischen dem Strom vom Wasser des Lebens und der Straße ist an den Ufern goldener und silberner Sand zu sehen. Obwohl die runden Sandkörner hart sind, fühlen sie sich im Himmel weich an. Wenn die Menschen sich im Sand rollen oder darauf rennen, können sie sich nicht verletzen oder verkratzen. Der Sand wird auch nicht weggeweht und klebt nicht wie Staub an den himmlischen Kleidern.

Man kann im Fluss auch schwimmen. Selbst wenn jemand auf der Erde nicht schwimmen konnte, kann er es im Himmel ungehindert. Auf der Erde muss man sich zum Schwimmen meistens umziehen, aber im Himmel durchdringt das Wasser die Kleidung nicht. Es perlt einfach an der Oberfläche des Materials ab. So kann man in seinen normalen Sachen schwimmen gehen.

Es gibt schöne Bänke, die aus goldenen Stangen gebaut sind und zu beiden Seiten des Flusses aufgestellt sind. Rund herum gibt es zwölf verschiedene Früchte vom Baum des Lebens. Wir lesen in Offenbarung 22,2: *„In der Mitte ihrer Straße und des Stromes, diesseits und jenseits, war der Baum des Lebens, der zwölfmal Früchte trägt und jeden Monat seine Frucht gibt; und die Blätter des Baumes sind zur Heilung der Nationen."* Das soll nicht heißen, dass eine Frucht abfällt und eine andere sie jeden Monat ersetzt. Vielmehr sind alle zwölf Sorten immer da.

Die Frucht des Lebens ist so groß wie eine Melone, gleicht aber von der Form her eher einem Apfel. Ihre rötliche Farbe ist wunderschön. Die zwölf Früchte unterscheiden sich leicht in Glanz, Größe, Form und Geschmack. Wenn jemand eine Frucht nimmt, wächst an ihrer Stelle sofort eine nach. Diese Früchte duften mehr als alles auf Erden und ihren Geschmack kann man mit unseren Worten hier nicht beschreiben. Sie schmelzen in deinem Mund wie Zuckerwatte.

In einer Vision, die Gott mir gab, sah ich den Strom vom Wasser des Lebens. Die Kinder Gottes saßen an den Ufern auf

Bänken, die mit Gold und kostbaren Edelsteinen verziert waren. Sie unterhielten sich angenehm miteinander. Wenn sie dabei darüber nachdachten, eine Frucht des Lebens zu essen, lasen die dienstbaren Engel ihre Gedanken und brachten die Früchte in goldenen Körben zu ihnen. Man kann den Fluss betrachten, während man dort mit seinen Lieben um sich herum auf einer der Bänke sitzt. Oder man unterhält sich nett mit ihnen und geht einfach spazieren. Was für ein glückliches Leben wird das wohl sein!

Tiere und Pflanzen im Himmel

Die Anzahl und Arten von Tieren, Vögeln und Fischen im Himmel ist unbeschreiblich groß. Darunter sind auch Spezies, die es hier auf der Erde nicht gibt. Und es existieren Arten, die es auf der Erde, aber nicht im Himmel gibt. Diese Tiere gelten laut 3. Mose 11 als abscheulich und somit gibt es sie im Himmel nicht.

Im Himmel sind die Tiere etwas größer als auf Erden. Sie scheinen auch etwas herrschaftlicher zu sein, obwohl sie sanftmütig und gehorsam sind. Das Fell der Säugetiere und die Federn der Vögel schimmern im Licht und duften leicht. Selbst die Löwen sind nicht wild, sondern sanft. Ihr sauberes Fell und ihre goldene Mähne bieten einen erstaunlichen Anblick.

Die Tiere im Himmel begrüßen Gottes Kinder und freuen sich, wenn sie sie sehen. Besonders im neuen Jerusalem wird es manche Leute geben, die Tiere als eigene Haustiere oder sogar einen Zoo als Belohnung bekommen. Die Tiere führen ihren Besitzern schöne Tricks vor. Es ist nicht so, als würden sie die Gedanken ihrer Herrchen kennen, weil sie eine Seele haben. Vielmehr gehorchen sie wie die Engel den Befehlen Gottes, denn im Himmel sind die Tiere geistliche Wesen und reagieren praktisch automatisch, sodass sie von ihren Herrchen geliebt werden.

Im Himmel gibt es viele Pflanzen, darunter den Baum des Lebens, andere Obstbäume und Blumen. Auf der Erde brauchen Pflanzen Nährstoffe, die sie mit ihren Wurzeln aufnehmen und durch den Prozess der Fotosynthese als Energiequelle nutzen. Doch im Himmel leben sie ohne diese Prozesse ewig, weil Gott ihnen die Kraft des Lebens gegeben hat. Die Wurzeln der Pflanzen nehmen keine Nahrung auf. Sie zeigen nur die Eigenschaften einer jeden Pflanze. Selbstverständlich zeigen auch die Form der Blüte, ihr Duft und ihre Früchte, um welches Gewächs es sich handelt, aber auch anhand der Wurzeln kann man dies feststellen.

Die Pflanzen im Himmel verströmen einen einzigartigen, aber dezenten Duft. Sie schütteln zuweilen ihre Zweige oder beugen sie, um etwas zu „sagen". Sie bewegen sich, als wären sie Engel, die zum Lobpreis tanzen. Auch preisen sie Gott, indem sie so oft wie möglich ihren Duft verströmen.

Die Blätter, Blüten und Früchte fallen selbst nach einem längeren Zeitraum nicht ab. Ihr Aroma und ihre Farben ändern sich nie. Wenn man eine Blume abpflückt, wird sie augenblicklich von einer neuen ersetzt. So verhält es sich auch mit den Früchten. Die gepflückten Blumen verwelken nicht und behalten ihre Frische. Wenn du die Blumen behalten willst, halten sie so lange, wie du es möchtest. Wenn du sie wegwerfen willst, lösen sie sich einfach in Luft auf. Manche Blumen duften stärker, wenn sie zu Puder verarbeitet werden. Wenn du magst, kannst du sie solange du willst, in einer Flasche aufbewahren.

Alle Pflanzen haben ihre eigene Duftnote. Sie durften frisch, süß, sanft oder edel. Ihr Parfüm hat an allen himmlischen Orten eine andere Bedeutung. Beispielsweise sind die Rosen im Paradies nur eine von vielen Sorten dort. Im Haus einer Person im neuen Jerusalem ist das Herz des Besitzers am Duft der Rose in seinem Zuhause abzulesen. Wenn jemand zu Besuch kommt, verströmt die Rose eine besondere Note, um auszudrücken, was im Herzen des Besitzers ist. Im neuen Jerusalem duften die Rosen in den jeweiligen Häusern anders.

Manche Pflanzen, die im neuen Jerusalem zu finden sind, gibt es an anderen Wohnstätten nicht. Die Anzahl der Blumensorten wird weniger, je weiter man sich vom neuen Jerusalem zum Paradies hinunter begibt. Auch wird die Freiheit, Blumen persönlich zu nutzen, geringer. Wie bequem es ist, im Gras zu sitzen! Die Farbe des Rasens unterscheidet sich von Ort zu Ort.

Alles im Himmel, Tiere und Pflanzen gleichermaßen, wurden für Gottes gerettete Kinder vorbereitet. Die echten Kinder Gottes, die sich auf der Erde nur nach Seinem Willen gerichtet haben, bekommen im Himmel alles, was sie sich wünschen.

Das kulturelle Leben im Himmel

Gott hat für alle Orte im Himmel eine Reihe von Erholungsmöglichkeiten geschaffen, um Seinen Kindern noch mehr Freude und Glück zu bescheren. Sie sind unvergleichlich größer als die größten Vergnügungsparks auf dieser Welt. Dort kann man viele spannende Dinge tun.

Da wir im Himmel in einem vollkommen himmlischen Körper sein werden, brauchen wir uns vor nicht zu fürchten. So hat dort niemand vor einer Fahrt mit dem Roller Coaster Angst. Jeder genießt sie in vollem Maße. Neben den Vergnügungsparks, gibt es viel Unterhaltung, zahlreiche Freizeitangebote und Vergnügungsmöglichkeiten. Wir können auch Hobbies nachgehen, um unsere Talente für gewisse Fertigkeiten des Himmels zu verbessern – so wie auf der Erde.

Wir können die Dinge genießen, die wir auf der Erde gerne gemacht haben. Wenn es darüber hinaus Dinge gab, die wir uns auf Erden nicht gestattet haben, um stattdessen Gott zu dienen, können wir sie dort so oft tun, wie wir wollen. Außerdem werden wir einige neue Dinge lernen. Beispielsweise können wir lernen, Instrumente zu spielen, wie Geige, Flöte oder Harfe. Im Himmel sind alle weise und talentiert, so dass man sehr schnell zu spielen lernt.

Der Sport im Himmel schließt Spiele mit Verletzungsgefahr und solche, wo andere zu Schaden kommen könnten, aus. Für jedes Spiel gelten gewisse Regeln. Es gibt Teamsportarten wie Volleyball, Basketball, Fußball und Baseball. Dazu kommen individuelle Sportarten wie Tennis, Skifahren, Golf, Bowling und Schwimmen. Auch können wir Drachenfliegen, Surfen oder Segeln gehen. Sportanlagen und Ausrüstung im Himmel sind unfallfrei und mit Gold und Edelsteinen geschmückt, um uns noch mehr Freude zu bereiten.

Der Himmel ist allerdings kein Ort, wo du dich freust, wenn du jemand anderen besiegst. Die Freude, die du bekommst, die Zufriedenheit, die du spürst, kommt daher, dass du den Sport betreiben kannst. Da fragst du vielleicht, welchen Sinn Spiele haben, bei denen es keine Gewinner gibt. Da es im Himmel nichts Böses gibt, hat man mehr Freude, wenn die anderen das Spiel gewinnen.

Natürlich gibt es auch Spiele, bei denen du dich freust, wenn ohne böse Absicht gewetteifert wird. Ein Beispiel: Die Leute atmen so viel vom Duft der Blumen ein, wie sie können und atmen ihn dann vor anderen Leuten wieder aus. Die Punktzahl hängt davon ab, wieviel Freude es Gott macht, dass du den Duft ausatmest oder wie gut du die verschiedenen Aromen miteinander vermischst. Bei diesem Wettbewerb geht es darum, wie viel Vergnügen du anderen Menschen bereitest, was wiederum Gott freut. Es gibt im Himmel noch viele andere Vergnügungen, die besser sind als alles, was wir auf Erden haben. Sie verursachen keine Müdigkeit wie Arkade- oder Videospiele und es wird einem dabei nie langweilig.

Man kann im Himmel darüber hinaus Filme ansehen. In den Kinos schaut man sich monumentale Ereignisse, die im

Laufe der Menschheitsgeschichte passierten, an. Dazu zählen die Schöpfung, Noahs Flut, der Auszug aus Ägypten, der Dienst Jesu, die Vorsehung vom Kreuz, das feurige Werk des Heiligen Geistes in der Endzeit sowie Geschichten der Väter des Glaubens.

Man kann sich beispielsweise einen Film über das gesamte Leben von Paulus anschauen. Du kannst dir ansehen, wie er dem Herrn begegnete und dann sein ganzes Leben seiner Liebe zum Herrn widmete. Man sieht dann auch die nicht in der Bibel niedergeschriebenen Dinge im Einzelnen und erlebt im Film das Leben des Apostels, als wäre man bei ihm gewesen, als er schlimmer verfolgt wurde, als das ein Mensch hätte eigentlich ertragen können. Man sieht seine Zeit im Gefängnis in Philippi oder wie er Gott sogar dankte und lobte, als er Schiffbruch erlebte. Was für ein spannender Film!

Fortbewegungsmittel im Himmel

Im Himmel können wir mysteriöse und schöne Orte besuchen. Dort gibt es einzigartige, atemberaubende Landschaften, ganz egal, wohin man geht. Weil wir einen perfekten himmlischen Leib bekommen, werden wir, auch wenn wir auf eine lange Reise gehen, nicht ermüden. Ein ganz vom Geist erfülltes Herz verändert sich nicht und es wird uns nicht langweilig, selbst wenn wir den gleichen Ort immer wieder besuchen.

Zum Reisen gibt es verschiedene Mittel, zum Beispiel

eine Art öffentlichen Personenverkehr, wie die himmlische Eisenbahn. Es existieren aber auch private Fahrzeuge, wie die „Wolkenmobile" oder die goldenen Wagen. Der Zug im Himmel ist mit schillernden, verschiedenfarbigen Juwelen geschmückt und für die Fahrgäste total bequem. Was man sieht, wenn man aus dem Fenster schaut, ist atemberaubend schön. Wenn Gläubige aus dem Paradies auf einen Besuch ins neue Jerusalem eingeladen werden, nehmen sie den himmlischen Zug. Der fliegt im Himmel übrigens mit sehr hoher Geschwindigkeit.

Auch wenn es als Wolkenmobil bezeichnet wird, besteht es nicht aus Dunst, sondern aus einer Wolke der Herrlichkeit. Das macht das Leben im Himmel noch schöner. Fährt man mit einem Wolkenmobil, spüren andere Leute die Würde und Autorität. Wenn der Herr wiederkommt, wird Er auf den Wolken kommen (1. Thessalonicher 4,16-17, Offenbarung 1,7), weil es so viel Würde, Ehre und Schönheit demonstriert, auf herrlichen Wolken daherzukommen.

Gott gibt denjenigen Wolkenmobile, die in den dritten oder vierten Himmel kommen. Im dritten Königreich der Himmel sind die Wolkenmobile für den öffentlichen Verkehr. Aber im neuen Jerusalem bekommt man sie zum Privatgebrauch. Somit zeigt bereits der Besitz eines Wolkenmobils die Würde des Besitzers.

Die, die im neuen Jerusalem sind, können auch mit ihren Fahrzeugen zusammen mit dem Herrn eine Reise machen. Die Wolkenmobile werden normalerweise von Engeln gesteuert. Manche von ihnen sind wie kleine Kraftfahrzeuge, andere sind größer und mit vielen Sitzplätzen ausgestattet. Form, Farbe und Ausstattung variieren. Es gibt auch ein Automobil, das aus einem kleinen Stück Wolke besteht. Es wird für kurze Strecken genutzt. Darin hat nur einer Platz. Er wird am Ziel sanft abgesetzt, wie bei einem Golfmobil, wenn jemand Golf spielen geht!

Gottesdienste und Lehre im Himmel

Wir werden im Himmel auch an Gottesdiensten teilnehmen. Gott selbst wird predigen. Wir werden viele Einzelheiten über den geistlichen Raum, wie zum Beispiel über Gott im Anfang, den Beginn der Zeit und die Ewigkeit, erfahren. Und wir werden Zeit haben, dem Herrn zuzuhören. Darüber hinaus können wir mit Gott, dem Herrn und dem Heiligen Geist reden – das ist unser „Gebet" im Himmel. Wir werden Gott darüber hinaus mit neuen Liedern preisen.

Wenn du im Himmel einen Ort besuchen willst, der über der Ebene von deinem Wohnort ist, musst du Sachen anziehen, die Ort und Anlass entsprechen. Der Anbetungsgottesdienst im neuen Jerusalem wird überall ausgestrahlt, so dass alle im Himmel daran teilnehmen können. Dafür ist allerdings keine komplizierte Ausstattung nötig. Die Engel falten einfach eine Art riesiges Tuch auf, das zu einer Videoleinwand wird. Das Licht und die Farben werden jedem Wohnort automatisch angepasst, damit alle das Video sehen können und den Eindruck haben, sie wären vor Ort.

Die Lichter müssen an jedem Wohnort angepasst werden,

weil das Licht Gottes, so wie es ist, gezeigt wird. Diejenigen im dritten Himmel und darunter können Ihn nicht direkt anschauen, weil Sein Licht für sie viel zu stark leuchtet. Die, die im zweiten Königreich und darunter sind, würden ihre Häupter nicht heben und unserem Vater Gott nicht ins Gesicht schauen können, weil ihr Gewissen es nicht erlauben würde.

Das trifft besonders für diejenigen zu, die im Paradies sind und nur „gerade so" gerettet wurden. Sie können nicht einmal auf den Bildschirm schauen, weil es ihnen peinlich ist und sie sich schämen. Neben den Gottesdiensten, wo Gott predigt, kann man den Herrn, den Heiligen Geist und die Väter des Glaubens, wie Mose und Paulus, einladen, die Botschaft zu bringen.

Wir werden, nachdem wir in den Himmel gekommen sind, immer wieder Neues lernen. Das Königreich der Himmel ist endlos. Egal, wie viel wir studieren, wir können nie alles über Gott den Schöpfer, der schon vor der Ewigkeit war und bis in alle Ewigkeit existiert, erfahren. Es ist schwierig, die endlosen Tiefen Gottes vollkommen zu begreifen. Er herrscht im Universum über alles. Wir werden spüren, dass der Himmel voller Dinge ist, die wir noch lernen müssen. Allerdings wird es dort, anders als auf der Erde, ausschließlich Freude bereiten. Wir werden beim Lernen alles verstehen und nie vergessen, was wir bereits gelernt haben. Es gibt beim Lernen also nichts Schwieriges. Auch hören wir uns nicht nur Vorträge an. Es wird 3D-Programme geben, die uns helfen werden, Dinge zu verstehen.

Stellt euch vor, wir Gott ursprünglich sagte: „Es werde Licht." Das schallte damals durch das gesamte Universum – und es wurde Licht. Danach wurde es geteilt. All das wird vor unseren Augen sichtbar gemacht! Stellt euch vor, wie die Feste über den Wassern gebildet und das Wasser anschließend geteilt wurde. Wie herrlich und majestätisch muss das gewesen sein!

Verschiedene Festessen im Himmel

Verschiedene Festessen im Himmel können als Höhepunkt der Freuden im himmlischen Leben bezeichnet werden. Dort spüren wir die Fülle, Freiheit, Schönheit und Herrlichkeit des Himmels sofort. Bei den Banketten schauen sich die Gäste mit ihren Lieben besondere Aufführungen oder Tänze an. Alle tragen ihre schönsten Kleider und ihren schönsten Schmuck. Auch wenn jemand auf der Erde nicht gut tanzen konnte, kann er es im Himmel schnell lernen und dort das Tanzbein schwingen.

Wenn jemand hier auf Erden erfüllt vom Heiligen Geist inspiriert wird, kann er in neuen Sprachen sprechen und neue Lieder singen. Seine Hände und Arme gehen automatisch hoch und schwingen im Rhythmus mit, um Gott preisen. Im Himmel, wo wir einen vollendeten himmlischen Leib haben, kann jeder gut tanzen – egal zu welcher Musik. Man darf Gott sogar mit einer Solodarbietung die Ehre geben.

Im Himmel gibt es viele Feste. Größe und Umfang unterscheiden sich von Wohnort zu Wohnort. Im neuen Jerusalem gibt es Festmahle im Namen des dreieinigen Gottes, aber auch welche, die entweder im Namen von Gott dem Vater oder dem des Sohnes oder des Heiligen Geistes gefeiert werden. Manchmal werden alle Leute aus allen himmlischen Orten eingeladen, an einem Bankett im Namen der Dreieinigkeit teilzunehmen.

Wir bekommen beispielsweise nach dem Gericht vor dem weißen Thron unseren jeweiligen Wohnort im Himmel zugeteilt. Anschließend gibt es das erste Festessen im neuen Jerusalem. Gott wird alle Himmelsbürger dazu einladen. Diejenigen, die im neuen Jerusalem und im dritten Königreich der Himmel sind, können daran teilnehmen. Aus dem zweiten und ersten Königreich der Himmel und aus dem Paradies können nur gewissen Vertreter hinzustoßen.

Wenn Leute von anderen Wohnorten zu einem Festmahl ins neue Jerusalem kommen, müssen sie sich anders kleiden und anderen Schmuck anlegen, der dem neuen Jerusalem entspricht. Der Grund ist das Licht der himmlischen Körper an verschiedenen Orten. Sobald man sich für das neue Jerusalem angezogen hat, kann man sich mit diesen neuen Sachen an den neuen Ort akklimatisieren und ist für das dort stattfindende Bankett bereit.

Es gibt bestimmte Orte, wo sich die Menschen umkleiden können; dort finden sie auch viele verschiedene Kleidungsstücke, die für sie bereit liegen. Die Engel helfen ihnen, die Kleidung anzuziehen, die sich die Leute ausgesucht haben. Allerdings müssen sich die Besucher aus dem Paradies ohne die Hilfe der Engel anziehen. Sobald sie die strahlend hellen Kleider für das neue Jerusalem angezogen haben, werden sie von unaussprechlicher Herrlichkeit bewegt sein. Sie werden meinen, sie würden diese Kleidung nicht verdienen, weil sie sich das Vorrecht dafür nicht erarbeitet haben.

Im Gegensatz zu den Kleidern, die sie für das neue Jerusalem bekommen, müssen sie ihre eigene Krone mitbringen. Die Kronen im dritten Himmelreich unterscheiden sich stark von denen im neuen Jerusalem. Sie haben rechts eine kleine, runde Markierung. Diejenigen aus dem zweiten und ersten Königreich der Himmel sowie aus dem Paradies tragen links auf dem Oberkörper ein rundes Symbol, was sie von denen im neuen Jerusalem und im dritten Himmelreich unterscheidet. Alle aus dem zweiten und ersten Königreich setzen ihre Krone für das Festessen auf, aber diejenigen aus dem Paradies haben keine und tragen auch keine.

Die Bankette an verschiedenen Wohnorten

Normalerweise kümmern sich die Engel um die Dekoration, das Zuweisen von Plätzen, die Beköstigung und alle anderen Aspekte der Vorbereitung für die himmlischen Feste. So wie Flugzeuge in den jeweiligen Klassen unterschiedliche Serviceleistungen haben, unterscheiden sich der Service und alle anderen Vorbereitungen für die Feiern von Wohnort zu Wohnort im Himmel auch.

Wenn wir sagen, die Banketts im neuen Jerusalem sind Feierlichkeiten, zu denen eine königliche oder adlige Familie eingeladen hat, dann könnte man ein Bankett im Paradies mit einer Party für arme Bauern und ihre Nachbarn vergleichen. Aber das ist nur eine Allegorie und bedeutet nicht, dass die Festmähler im Paradies schäbig oder schlecht vorbereitet seien. Es deutet vielmehr auf den großen Unterschied zwischen einem Bankett im neuen Jerusalem und einem im Paradies hin. Festmahle im Paradies werden nicht von Einzelpersonen ausgerichtet. Sie sind für die Öffentlichkeit oder für gewisse Gruppen. Es gibt keine dienenden Engel, so dass die Menschen alles vorbereiten. Aber selbst im Paradies gibt es nichts Böses, sondern nur Güte und Liebe, so dass sich alle froh und glücklich an den Vorbereitungen beteiligen. Alle dienen einander respektvoll, so dass sie es vollkommen genießen können. Tatsache ist, dass wir ein derartiges Glück hier auf Erden nicht einmal auf den luxuriösesten Partys spüren können. Wie herrlich muss das Glück dann wohl bei den Banketten im neuen Jerusalem sein!

Die Aufführungen

Lieder und Tänze sind ein untrennbarer Teil bei den Festessen im Himmel – wie auch auf der Erde. Wunderschöne Engel tanzen elegant, spielen Instrumente oder singen Lieder. Es gibt auch Menschen, die gemeinsam mit den Engeln auftreten, Loblieder singen oder Instrumente spielen. Der Lobpreis, die Tänze und Musikstücke, die von den Engeln vorgetragen werden, sind makellos schön und kunstvoll. Doch für Gott ist etwas anderes noch angenehmer als die Auftritte der Engel, nämlich die Lieder, Tänze und Instrumentalstücke Seiner

Kinder, denn sie kennen Sein Herz und tun es aus Liebe.

Im neuen Jerusalem gibt es besondere Säle für solche Auftritte. Es sind großartige, herrliche Hallen, die noch viel größer und schöner sind als die Carnegie Hall oder der Madison Square Garden in New York City oder die Oper von Sydney, wo es ständig Aufführungen gibt. Es geht nicht darum, dass die Künstler mit ihrem Können prahlen, sondern dass sie Gott alle Ehre geben und Ihm und den Anwesenden Freude bereiten.

In den meisten Fällen waren sie schon auf der Erde Künstler und manchmal geben sie eine Vorführung aus ihren irdischen Lebzeiten. Es gibt auch Menschen, die auf Erden gerne an Aufführungen teilgenommen hätten, es aber nicht konnten. Sie lernen im Himmel neue Lieder und Tänze und stellen diese vor.

In dem Maße, wie Künstler sich geheiligt haben, können sie im neuen Jerusalem, im dritten, zweiten oder ersten Königreich der Himmel exklusiv auftreten. Alle Sänger, Tänzer und Instrumentalisten aus dem neuen Jerusalem sind Spitzenklasse und werden von allen im Himmel geliebt. Jeder kann sich ihre Auftritte anschauen, weil die zu Ehren der Dreieinigkeit gehaltenen Feiern und Vorführungen im neuen Jerusalem auch an den anderen himmlischen Wohnorten ausgestrahlt werden.

Die Leinwand wird in der Luft genau auf der richtigen Höhe aufgehängt, so dass die Zuschauer den Eindruck haben, sie würden tatsächlich vor Ort auf der Feier sein. Somit werden die Leute an den anderen Orten im Himmel auch von den Banketts und Vorführungen im neuen Jerusalem angerührt. Ähnlich wie Leute auf der Erde berühmten Persönlichkeiten folgen, loben

Engel die Künstler im Anschluss. Sie nennen sie „Meister" und versuchen, ihnen zu gefallen und ihnen Freude zu bereiten.

Von zahllosen Engeln geliebt und bewundert

Im neuen Jerusalem gibt es eine Frau, die sehr geehrt wird und der viele Engel folgen. Sie ist diejenige, die auf der Erde ein vollkommen vom Heiligen Geist geleitetes Herz entwickelte, Maria Magdalena. Sie trägt ein strahlendes Kleid, das bis auf den Boden geht. Ihr Haar reicht bis an die Taille. Sie ist von strahlender Schönheit und trägt eine Krone auf dem Haupt.

Maria Magdalena entwickelte auf der Erde vollkommene Güte und ihr geistlicher Leib strahlt ein herrliches Licht aus. Ihre Stimme ist voller Sanftmut und so weich wie der Klang eines kleinen fließenden Baches. Wenn sie spricht, geht von ihr ein Aroma der Demut und Güte aus und sowohl Engel als auch Menschen werden von ihren Worten tief berührt. Manchmal bilden die Engel einen Kreis um sie und loben den Duft ihre Güte.

Sie hat eine so ehrenvolle Position, dass sie Gott ständig sieht, weshalb man das Herz, die Würde und das Licht Seiner Herrlichkeit spüren kann, wenn man sie nur sieht. Wie war es möglich, dass Maria Magdalena in diese ehrenwerte Position kam?

Sie wurde von vielen Krankheiten geheilt und von der Macht der Finsternis befreit, als sie dem Herrn beggenete. Sie war Ihm für Seine Gnade zutiefst dankbar und diente Ihm ab jenem Zeitpunkt treu, ohne dass sich ihre Einstellung dabei änderte.

Als Jesus gekreuzigt wurde, verließen Ihn viele Seiner ehemaligen Anhänger. Doch ihr Herz war so treu, dass sie bis zu Seinem Tod bei Ihm blieb. Sie besuchte sogar Sein Grab. So kam es, dass sie nun derart nahe am Thron Gottes im neuen Jerusalem lebt.

Gott will, dass wir Seine ewige Liebe mit anderen teilen und von Seinen wahren Kindern gelobt werden, die so ein gutes Herz entwickelten wie Maria Magdalena.

In Jesaja 43,21 lesen wir: *„Dieses Volk, das ich mir gebildet habe, sie sollen meinen Ruhm erzählen."* Gott möchte nicht nur schöne Stimmen, herrliche Choreographien oder erstaunliche Musikstücke. Er wünscht sich Lobpreis, der von wahrhaft guten Herzen kommt. Gott singt manchmal. Es sind herrliche Melodien und Rhythmen. Er besingt die erstaunlichen Dinge, die Sein eingeborener Sohn Jesus tat, und die außerordentlichen Werke, die der Heilige Geist vollführt.

Niemand kann Seine Gesangsstimme nachahmen. Sie ist so wunderschön, dass jeder, der sie hört, sofort davon ergriffen ist. Es ist eine so laute Stimme, dass sie die ganze Welt erschüttern kann, aber nicht jeder im Himmel wird sie hören. Nur die, sie im neuen Jerusalem nahe am Thron Gottes sind, können sie hören. Darum sollten wir uns darum bemühen, auf die Ebene zu kommen, wo wir ganz und gar vom heiligen Geist geleitet werden, Gott in Seinem ewigen Königreich im Himmel preisen und in die herrliche Position versetzt werden, wo wir sogar hören, wie Er singt.

Geist, Seele und Leib II

Teil 3

Über menschliche Grenzen hinaus

Gottes Raum erleben

Gott sehen – Er ist Licht

„Wahrlich, wahrlich, ich sage euch:
Wer an mich glaubt, der wird auch die Werke tun, die ich tue,
und wird größere als diese tun, weil ich zum Vater gehe."
- Johannes 14,12

Kapitel 1
Gottes Raum

Im Unterschied zum physischen Raum kennt der Raum Gottes keine Grenzen.
Wenn wir zu echten Kindern Gottes werden,
können auch wir mit der uneingeschränkten Kraft Gottes
über menschliche Grenzen hinausgehen.
Im Raum Gottes können Dinge aus dem Nichts geschaffen werden,
Tote stehen wieder auf und alles,
was Gott in Seinem Herzen bewegt, ist möglich.

Den Raum Gottes besitzen

Im Raum Gottes finden Schöpfungswerke statt

Werke, die über Raum und Zeit hinausgehen

Sich durch den geistlichen Raum bewegen

Liebe, die Gerechtigkeit übersteigt

Ein Raum ist das Maß einer Oberfläche oder eines dreidimensionalen Areals. Das Wort kann sich auch auf die unendliche Ausdehnung einer dreidimensionalen Welt beziehen, in der sich die gesamte Materie befindet. Heute gibt es auch den Cyberspace, den Computer kreieren. Er steht jedem offen, doch die Menschen können ihn auf unterschiedliche Art und Weise nutzen, je nachdem, wieviel sie darüber wissen und über welche Computerkenntnisse sie verfügen. So können auch wir den Raum Gottes nutzen und die erstaunlichen, in der Bibel festgehaltenen Dinge erleben. Es hängt nur davon ab, wieviel wir davon wissen und inwieweit wir den Raum Gottes nutzen.

Der geistliche Raum befindet sich irgendwo am Ende des Universums. Er ist sehr nahe am physischen Raum. So, wie wir nach draußen schauen können, wenn wir Zuhause unsere Fenster aufmachen, können wir den geistlichen Raum sehen, wenn sich ein Tor dorthin öffnet.

In der Bibel lesen wir davon, wie der auferstandene Herr vor den Augen Seiner Jünger in den Himmel auffuhr. In Apostelgeschichte 1,9 steht: *„Und als er dies gesagt hatte, wurde er vor ihren Blicken emporgehoben, und eine Wolke* *nahm ihn auf vor ihren Augen weg.* " Jesus fuhr in den Himmel auf, weil sich der geistliche Raum auf der Höhe, wo Wolken entstehen, öffnete. Wenn wir den geistlichen Raum gut kennen, finden wir Antworten auf viele schwierige Passagen in der Heiligen Schrift. Auch können wir so einen vollkommen Glauben und die Hoffnung auf den Himmel entwickeln.

Es scheint, als hätte der Mensch keine andere Wahl, als sich mit den Beschränkungen durch Raum und Zeit abzufinden. Doch wir können über diese Grenzen hinausgehen, wenn wir wahre Kinder Gottes werden. Dann sind selbst böse Geister nicht in der Lage, uns anzugreifen. Am Ende kommen wir in das Königreich der Himmel im dritten Himmel, wo selbst Adam, ein lebendiger Geist, nicht leben konnte. Darüber hinaus erleben wir dann die unbeschränkte Kraft Gottes, die aus dem vierten Himmel stammt. *„Weil ihr aber Söhne seid, sandte Gott den Geist seines Sohnes in unsere Herzen, der da ruft: Abba, Vater! Also bist du nicht mehr Sklave, sondern Sohn; wenn aber Sohn, so auch Erbe durch Gott"* (Galater 4,6-7).

Raum und Dimensionen aus Gottes Sicht

Wie in Teil 1, „Die Weite des Geistlichen Raumes", erwähnt, teilte Gott, nachdem Er die Menschheitsgeschichte geplant hatte, den ursprünglichen Raum in viele Räume mit verschiedenen Dimensionen. Allgemein gesprochen trennte Er den Raum in vier Himmel, also den ersten, zweiten, dritten und vierten. Der erste ist im Vergleich zum ursprünglichen winzig.

Als Gott die unterschiedlichen Räume mit ihren jeweiligen Dimensionen schuf, etablierte Er ein Prinzip zwischen Ihnen, wonach höhere Dimensionen über niedrigeren herrschen und sich die niedrigeren den höheren unterordnen müssen.

Der erste Himmel, also das physische Universum mit Erde, Sonne, Mond und Sternen, die wir sehen können, ist die erste Dimension. Es ist eine physische Welt, in der sich Dinge verändern, verderben oder sterben. Die zweite Dimension ist der Raum im zweiten Himmel. Er wird normalerweise in den Bereich des Lichtes und den der Finsternis unterteilt. Der Bereich des Lichtes heißt Eden und dort ist auch der Garten Eden. Neben Eden befindet sich der Bereich der Finsternis, wo böse Geister die Autorität über die Luft haben.

In der dritten Dimension ist das himmlische Königreich, der dritte Himmel, gelegen. An diesem Ort leben die geretteten Kinder Gottes für ewig. In der Mitte vom neuen Jerusalem, wo Gottes Thron steht, sind Wohnungen, die sich nach dem Maß des Glaubens ihrer Bewohner unterscheiden. In der vierten Dimension finden wir den vierten Himmel. Dort existierte Gott am Anfang als Licht und Klang. Vom vierten Himmel aus regiert die Dreieinigkeit über alles – also den dritten, zweiten und ersten Himmel. Von dort gehen Werke der Schöpfung aus – über Raum und Zeit hinweg.

Dieser geheimnisvolle, vierdimensionale Raum ist der Raum Gottes. Dort lebte Gott ursprünglich. Es ist ein wunderschöner Ort. Niemand außer der Dreieinigkeit darf in diesen Bereich hineingehen, abgesehen von ein paar Leuten, die eine

149

Sondererlaubnis von Gott haben.

Gottes Raum ist endlos. Dort kann Er Dinge verschwinden lassen und andere aus dem Nichts schaffen. Substanzen können sowohl in flüssiger, gasförmiger oder fester Form existieren. Nur diejenigen, die dafür qualifiziert sind, können in diesen Bereich hineingehen. Lasst uns jetzt den mysteriösen und wunderbaren Raum Gottes näher betrachten.

Gottes Herz ist der Raum Gottes

Der Ort, wo Gott vor Beginn der Zeitalter lebte, ist ein geistlicher Raum, der für unsere Augen unsichtbar ist. Es ist ein großer Raum. Damals waren der geistliche und physische Bereich noch nicht geteilt. Gott existierte als wunderschön strahlendes Licht mit einer harmonischen Stimme. Er bewegte sich im ganzen Universum und regierte allein über alles.

Im Ursprung dachte Gott in Seinem Herzen über das gesamte Universum nach. Oder anders ausgedrückt, jeglicher Raum im Universum war in Seinem Herzen. Lasst mich das anhand einer Illustration beschreiben, damit ihr besser versteht, was ich meine, wenn ich sage, dass jemand über etwas in seinem Herzen nachdenkt oder dass er etwas im Herzen bewegt. Wenn du an deine Heimatstadt denkst, kannst du sie dir vorstellen. Vielleicht fragst du dich auch, wie sie heute aussieht. Vielleicht denkst du an jemanden denkst, den du liebst oder du erinnerst dich, wie du Zeit mit der Person verbracht hast. In dem Moment ist dein Verstand, oder dein Herz, an dem Ort, wo du mit demjenigen warst.

Gott kann über Raum und Zeit an jeden Ort im Universum sein, wenn Er in Seinem Herzen darüber nachdenkt. Wir beschreiben diese Eigenschaft Gottes mit dem Wort „allgegenwärtig". Wegen Seiner Allgegenwart konnte Er über alle Ecken im Universum nachdenken und über alles herrschen. Wir lesen in Psalm 68,34: „*ihm, der einherfährt auf dem Himmel, dem Himmel der Vorzeit! Siehe, er lässt seine Stimme erschallen, eine mächtige Stimme.*" Mit dem Ausdruck „auf dem Himmel einherfahren" ist gemeint, dass Gott über alle Räume regiert – vom ersten bis zum vierten Himmel. Es heißt, Seine Stimme sei mächtig, doch ihre Frequenz ist für unsere Ohren nicht wahrnehmbar. Wenn Gott wie am Anfang der Schöpfung spricht, gehorcht Ihm alles und Seine Autorität und Würde werden die Himmel erschüttern.

Den Raum Gottes besitzen

Gott wünscht sich, dass Seine geliebten Kinder den „Raum Gottes" besitzen und auch über alle Räume herrschen. Doch etwas ist nötig, um diesen Raum zu besitzen, denn Gott hat in Bezug auf Liebe und Gerechtigkeit für die Menschheit Regeln festgelegt. Gerechtigkeit meint Gesetze und Prinzipien. So wie es in jeder Gesellschaft Gesetze oder Verkehrsregelungen gibt, gibt es auch ein Gesetz Gottes – und dabei handelt es sich um Seine Gerechtigkeit.

Was soll „den Raum besitzen" heißen? Es soll heißen, dass

man tief in seinem Herzen über den Raum nachdenkt. Wenn wir über den Raum Gottes in unserem Herzen nachdenken, heißt das natürlich nicht, dass wir wie Gott allgegenwärtig wären. Vielmehr bedeutet es, dass außergewöhnliche Dinge geschehen, wenn wir den Raum Gottes in dieser Welt entfalten.

Als Gott die Räume teilte, tat Er dies gemäß Seiner Gerechtigkeit und Liebe für jeden einzelnen Raum. Wenn wir durch die Dimensionen gehen, von der ersten zur zweiten, dritten und vierten, wird die jeweilig „Dimensionen der Gerechtigkeit" breiter und tiefer. In jedem der Himmel herrscht makellose Ordnung. Der Grund für die verschiedenen Dimensionen der Gerechtigkeit in jedem Raum ist, dass jeder Himmel auch eine andere Dimension der Liebe hat. Liebe und Gerechtigkeit können nicht getrennt werden. Je tiefer die Dimension der Liebe, desto tiefer ist auch die Dimension der Gerechtigkeit.

Als Jesus der ehebrecherischen Frau vergab, geschah das aus Liebe, die über die Ebene der Gerechtigkeit hinausging (Johannes 8). Als die Frau vor Ort beim Ehebruch ertappte wurde, argumentierten die Leute, die gemäß der Gerechtigkeit im ersten Himmel urteilten, sie müsse sofort gesteinigt werden. Doch Jesus sagte gemäß der Gerechtigkeit im vierten Himmel: *„Auch ich verurteile dich nicht. Geh hin und sündige von jetzt an nicht mehr!"* (Johannes 8,11). Es war die wahre Liebe, die in der Gerechtigkeit enthalten ist.

Wir können den Raum Gottes nur besitzen und uns frei durch alle Räume bewegen, wenn wir die Liebe und

Gerechtigkeit Gottes in ihrer Fülle haben. Dann können wir die Regeln des geistlichen Raumes verstehen und alles, was in dieser physischen Welt geschieht, durchschauen. Jesus, der ohne Sünde war, starb am Kreuz für alle Sünder. Weil Seine Liebe über Recht und Gerechtigkeit hinausging, demonstrierte Er in der Kraft Gottes erstaunliche Werke, wie die Heilung von Krankheiten und das Beruhigen von Wind und Wellen. Er konnte auch die Gedanken der Menschen in der ersten Dimension lesen.

Diejenigen, die sich in der ersten Dimension befinden, sind durch Zeit und physischen Raum eingeschränkt. Doch nachdem wir Jesus Christus angenommen haben und durch den Heiligen Geist wiedergeboren worden sind, können wir von diesen Beschränkungen befreit werden – und zwar in dem Maße, wie wir unser Herz zu einem geistlichen entwickeln. Wenn wir ganz und gar vom Geist geprägte Männer und Frauen werden, die in die dritte, das heißt die geistliche, Dimension gehören, fürchtet sich der Feind, Satan, der in die zweite Dimension gehört, vor uns, obwohl wir physisch gesehen in der ersten Dimension sind.

In 1. Mose 1,28 heißt es: *„Und Gott segnete sie, und Gott sprach zu ihnen: Seid fruchtbar und vermehrt euch, und füllt die Erde, und macht sie euch untertan; und herrscht über die Fische des Meeres und über die Vögel des Himmels und über alle Tiere, die sich auf der Erde regen!"* Adam war ein lebendiger Geist. Als geistliches Wesen lebte er im zweiten Himmel und hatte die Macht, über alles im ersten Himmel zu herrschen.

Haben wir die Gerechtigkeit und Liebe Gottes, die in die

vierte Dimension gehören, können wir die Macht Gottes, die in den vierten Himmel gehört und menschliche Grenzen übersteigt, demonstrieren. Darum versprach Jesus in Johannes 14,12: *„Wahrlich, wahrlich, ich sage euch: Wer an mich glaubt, der wird auch die Werke tun, die ich tue, und wird größere als diese tun, weil ich zum Vater gehe."*

Im Raum Gottes finden Schöpfungswerke statt

Im Raum Gottes können wir alles, was wir uns wünschen erreichen. Vor allem wird es dort Schöpfungswunder geben. Als Gott die Himmel und die Erde und alles darin schuf, war das ein Wunderwerk der Schöpfung. Auch Jesus wirkte Schöpfungswunder, denn Er besaß den Raum Gottes. Eines der besten Beispiele dafür ist das erste Zeichen, das Er in Seinem Dienst auf Erden wirkte, als Er Wasser in Wein verwandelte.

Eines Tages war Er auf einer Hochzeit. Da ging der Wein aus. Maria tat der Gastgeber leid und so bat sie Jesus um Hilfe. Zunächst lehnte Er Marias Bitte scheinbar ab. Doch sie war nicht enttäuscht, sondern hielt unverändert an ihrem Glauben fest. Sie wusste sehr genau, wer Jesus war und dass Er das Wasser leicht zu Wein verwandeln konnte. Maria glaubte, dass sie ihre Antwort von Jesus schon empfangen hatte und sagte den Dienern, sie sollten tun, was Jesus ihnen sagen würde.

Jesus sah den Glauben von Maria und befahl den Dienern, die Wasserkrüge zu füllen. Als sie die sechs Amphoren gefüllte hatten, sagte Jesus, sie sollten davon ausschenken und dem obersten Kellner eine Kostprobe geben. Bis die Diener es dem obersten Diener gebracht hatten, war das Wasser in Wein verwandelt worden. Allein, weil Er darüber im Herzen nachdachte, wurde was Wasser in den sechs großen Krügen in guten Wein verwandelt.

Im Raum Gottes kann solch ein Werk der Schöpfung stattfinden, wenn man es im Herzen bewegt. Natürlich manifestierte Jesus derartige Werke nur, wenn es gemäß der Gerechtigkeit Gottes passte – und nicht einfach aus einer Laune heraus. Dieses Wunder wurde durch den vollkommenen Glauben der Maria möglich. Er reichte aus, um Gottes Gerechtigkeit zu erfüllen.

Jesus speiste einmal Tausende von Menschen mit fünf Brotlaiben und zwei Fischen, ein andermal mit sieben Broten und zwei Fischen. Welche Art von Gottes Gerechtigkeit war für diese Zeichen nötig? *„Als Jesus aber seine Jünger herangerufen hatte, sprach er: Ich bin innerlich bewegt über die Volksmenge, denn schon drei Tage harren sie bei mir aus und haben nichts zu essen; und ich will sie nicht hungrig entlassen, damit sie nicht etwa auf dem Weg verschmachten"* (Matthäus 15,32).

Tausende von Leuten blieben drei Tage hintereinander bei Jesus, denn sie sehnten sich danach, Seine Botschaft zu hören. Sie hörten Ihm zu und freuten sich, als Kranke geheilte wurden. Ihr Glaube an Jesus war vollkommen – zumindest in dem Moment.

Weil sie Glauben hatten, fügte Jesus ihm Seine Liebe Jesu hinzu und erfüllte damit die Gerechtigkeit Gottes, so dass Werke der Schöpfung möglich wurden.

Die Witwe von Zarpat erlebt das Werk der Schöpfung

Ein ähnliches Schöpfungswerk wird in 1. Könige 17 erwähnt. Als Elia nach Sidon kam, weil er dem Wort Gottes gehorsam war, traf er auf die Witwe von Zarpat stieß. Sie war total verarmt. Nach der langen Dürrezeit, war ihr das Essen fast ganz ausgegangen. Sie hatte nur noch eine Handvoll Mehl und etwas Öl. Elia trug ihr auf, mit dem letzten Rest, der ihr geblieben war, Brot zu backen, und er sprach einen Segen über ihr aus: *„Denn so spricht der HERR, der Gott Israels: Das Mehl im Topf soll nicht ausgehen und das Öl im Krug nicht abnehmen bis auf den Tag, an dem der HERR Regen geben wird auf den Erdboden"* (1. Könige 17,14).

Als sie das hörte, brachte die Witwe von Zarpat keine Entschuldigungen vor, sondern gehorchte. Wenn wir logisch darüber nachdenken, hätte sie das gar nicht tun können. Sie wollte sterben, nachdem sie den letzten Happen verspeist hatte – und dieser Mann bat sie um ihre letzte Mahlzeit. Sie hätte denken können, das sei eine Unverschämtheit. Aber das tat sie nicht. Gott wirkte in ihrem Herzen und ließ sie wissen, dass er ein Mann Gottes war. So tat sie das, worum er sie gebeten hatte.

Was für einen Segen empfing sie deshalb? In 1. Könige 17,15-16 lesen wir: *„Da ging sie hin und tat nach dem Wort Elias.*

Und sie aß, er und sie und ihr Haus, Tag für Tag. Das Mehl im Topf ging nicht aus, und das Öl im Krug nahm nicht ab nach dem Wort des HERRN, das er durch Elia geredet hatte."

Mit „Tag für Tag" sind hier nicht nur ein paar Tage, sondern eine lange Zeit gemeint. Dass ihr Mehl und Öl nicht ausgingen, ist ein Schöpfungswerk. Aber wie konnte Elia etwas bewirken, dass nur im Raum Gottes möglich ist?

Elia besaß den Raum Gottes nicht, doch zumindest für einen Augenblick, erkannte und empfing er das Herz und den Willen Gottes, der keine Grenzen kennt. In dem Moment konnte er sehen, was Gott in Bezug auf diese Sache auf dem Herzen hatte. Manchmal lässt Gott Menschen Sein Herz erkennen oder lesen, damit sie Seinen Willen erfüllen.

Elisa empfing die doppelte Portion der Salbung seines Meisters Elia. Aber weil Gott es ihm nicht zeigte, wusste er nicht, was das Herz der Schunemiterin bedrückte. Sie hatte einen Sohn bekommen, weil sie dem Mann Gottes, Elia, von ganzem Herzen gedient hatte. Doch dann starb ihr Sohn plötzlich und sie fuhr sofort zu Elisa. Erst als sie ihm erzählte, was geschehen war, wusste er Bescheid. *„Und sie kam zu dem Mann Gottes auf den Berg und umfasste seine Füße. Da trat Gehasi herzu, um sie wegzustoßen. Aber der Mann Gottes sagte: Lass sie! Denn ihre Seele ist betrübt; und der HERR hat es mir verborgen und es mir nicht kundgetan"* (2. Könige 4,27).

Um Gottes Herz lesen und Seinen Raum nutzen zu können, ist es von entscheidender Bedeutung, ein Herz zu entwickeln, das ganz vom Geist Gottes bestimmt wird, so dass wir Ihm vertrauen und vollkommen gehorsam sind. Der Grund, warum Propheten wie Elia, Abraham, Mose und Paulus den Raum Gottes nutzten, war, dass sie ein total vom Heiligen Geist geprägtes Herz hatten. Wenn Er ihnen etwas auftrug, wussten sie über Seine Absichten, die hinter dem Befehl standen, Bescheid. Sie spürten, wie Gott wirken würde und konnten es sich vorstellen. Dies verlieh ihnen geistliche Zuversicht.

Elia verkündete mutig das Wort des lebendigen Gottes und holte Feuer vom Himmel, denn er wusste in seinem Herzen, was Er tun wollte. Das gleiche geschah, als er die Witwe von Zarpat um ihr letztes bisschen Essen bat. Wenn wir Gott ganz vertrauen, können wir sogar dann glauben, wenn es keinen Sinn ergibt. Wenn wir Ihm vertrauen, wird es geschehen, so wie Er es angekündigt hat. Das Schöpfungswerk geschah für die Witwe, weil sie und Elia das Maß der Gerechtigkeit Gottes erfüllten.

Die Witwe glaubte Elia, dem Mann Gottes, und Gottes Wort selbst. Sie gehorchte Elias Worten ohne zu zögern und ohne sie intellektuell zu analysieren. Dadurch konnte sie am Raum Gottes, den Elia nutzte, teilhaftig werden.

In 2. Chronik 20,20 heißt es:

> *„Glaubt an den HERRN, euren Gott, dann werdet ihr bestehen! Glaubt seinen Propheten, dann wird es euch gelingen!"*

Elia nutzte den Raum Gottes, der Ihm ganz allein gehört, indem er Ihm ganz und gar vertraute. Die Witwe vertraute Elia vollkommen und dadurch kam der Raum Gottes über sie, so dass sie ein Schöpfungswunder mit eigenen Augen sahen. Wie in dem oben genannten Fall bedeckt Gott Menschen mit Seinem Raum, wenn sie sich vertrauensvoll und gehorsam mit Männern Gottes, die Seinen Raum nutzen, eins machen.

Die drei Freunde von Daniel bleiben im Feuerofen unverletzt

Daniels Freunde wurden nur deshalb in den Feuerofen geworfen, weil sie sich vor dem Götzenbild nicht niederwerfen wollten. Der Ofen wurde siebenmal mehr als sonst angeheizt und die Soldaten, die in der Nähe waren, verbrannten. Es ergibt sich von selbst, dass die drei Freunde auch hätten verbrennen müssen. Doch was geschah tatsächlich?

In Daniel 3,24-25 steht geschrieben: *„Da erschrak der König Nebukadnezar und erhob sich schnell. Er begann und sagte zu seinen Staatsräten: Haben wir nicht drei Männer gebunden ins Feuer geworfen? Sie antworteten und sagten zum König: Gewiss, König! Er antwortete und sprach: Siehe, ich sehe vier Männer frei umhergehen mitten im Feuer, und keine Verletzung ist an ihnen; und das Aussehen des Vierten gleicht dem eines Göttersohnes."*

Es waren definitiv drei Männer, die in den Feuerofen geworfen worden waren. Dennoch waren vier drin. Der

König meinte, einer von ihnen sähe aus wie ein Göttersohn. Normalerweise können Menschen geistliche Wesen nicht sehen. Doch Gott öffnete die geistlichen Augen des Königs und zeigte ihm das geistliche Wesen. Nachdem die drei Männer aus dem Feuer kamen, sahen alle anderen, dass ihnen die Flammen nichts angetan hatten, ihr Haar war nicht versengt und ihre Mäntel waren nicht verändert, nicht einmal Brandgeruch war an sie gekommen.

Wie konnte etwas Derartiges geschehen? Daniel und seine drei Freunde wurden bewahrt, weil sie sich im Raum Gottes bewegten. Zu diesem Schluss können wir kommen, weil es dort über den vierten Mann heißt, er habe „das Aussehen... eines Göttersohnes". Selbstverständlich waren es nicht mehrere „Götter", sondern nur einer, denn es gibt nur den einen wahren Gott. Aber Nebukadnezar formulierte es so, weil er an heidnische Götter glaubte.

Wer war dieser „Göttersohn"? Es war der Geist Gottes. Der Heilige Geist selbst kam herab und Gottes Raum bedeckte den physischen Raum.

Mose verwandelte das bittere Wasser von Mara in Trinkwasser

Im 2. Mose 15 wird die Szene beschrieben, wie das bittere Wasser von Mara in Trinkwasser verwandelt wurde. Auch dies geschah im Raum Gottes. Das Volk Israel hatte das Schilfmeer überquert und war in die Wüste gekommen. Drei Tage lang fanden die Israeliten kein Wasser. Dann stießen sie bei Mara auf Wasser, doch es war bitter und sie konnten es nicht trinken. So beschwerten sie sich bei Mose. Als er betete, zeigte Gott ihm einen Baum. Diesen warf Mose aufs Wasser und es wurde zu Trinkwasser. Hatte der Baum Bestandteile, die den Wassergeschmack ändern konnten? Nein. Gott bedeckte was Wasser mit Seinem Raum und wirkte ein Schöpfungswunder, weil Er den Glauben und Gehorsam von Mose sah.

Das gleiche Schöpfungswunder manifestierte sich in unserer Gemeinde und Gott bekam dafür alle Ehre. Ich betete in Seoul, dass das Salzwasser von Muan in Trinkwasser verwandelt würde und das Gebet wurde erhört.

Das Wasser war von einer Quelle nahe der Manmin-Gemeinde in Muan. Sie befindet sich in Heje Myeon in der Provinz Jeonnam und ist vollkommen vom Meer umgeben. Als man dort einen Brunnen aushob, bekam man nur salziges Wasser. Dann wurde eine Wasserleitung installiert – von einem Ort, der drei Kilometer entfernt war, um frisches Wasser zu bekommen. Dennoch hatten sie Trinkwassermangel. Da erinnerten sich die Mitglieder der Manmin-Gemeinde in Muan an das Zeichen von Mara. Sie glaubten, dass so etwas auch für sie geschehen könnte. So beteten sie dafür. Sie baten mich oft, nach Muan zu kommen und zu beten, dass das Salzwasser zu Süßwasser verwandelt würde.

Im Februar 2000 zog ich mich zehn Tage lang für eine besondere Gebetszeit auf dem Gebetsberg zurück. Ich betete insbesondere für die Manmin-Gemeinde in Muan. Zu der Zeit fasteten die Geschwister vor Ort einer nach dem anderen für die Gemeinde und für mich. Während dieser zehn Tage sahen sie täglich, wie runde Regenbögen über ihrer Gemeinde erschienen.

An einem der Tage inspirierte mich der Heilige Geist am Morgen nach meiner stillen Zeit, noch dafür zu beten, dass das Salzwasser von Muan süß würde. Ich fuhr nicht persönlich nach Muan, um dort zu beten. Doch Gott wirkte über Raum und Zeit hinweg und verwandelte das Salzwasser in Trinkwasser.

Mein Gebet und der Glauben der Mitglieder der Manmin-Gemeinde in Muan erfüllten die Gerechtigkeit Gottes und ermöglichten dieses Schöpfungswerk. Selbst heute noch fließt aus der Quelle der Gemeinde in Muan Trinkwasser. Der Grund ist, dass der Raum von Gott dem Schöpfer sie bedeckte. Das Trinkwasser von Muan wurde auch von der US-amerikanischen Behörde für Lebens- und Arzneimittel (FDA) geprüft und als gesundes Wasser klassifiziert, das reich an Mineralien ist. Durch das Wasser sind auch so viele Heilungswunder geschehen, dass es ständig einen Strom von Pilgern zu der Gemeinde in Muan gibt.

Tote werden wiederbelebt

Im Raum Gottes gibt es nicht nur Schöpfungswunder, sondern dort können auch Leben und Tod kontrolliert werden. In diesem Raum können Tote wiederbelebt werden und Lebende sterben. Das gilt für jede Art von Leben, ob Pflanzen oder Tiere.

In 4. Mose 17 lesen wir etwas über den blühenden Stab

Aarons. Das war nur möglich, weil er vom Raum Gottes bedeckt wurde. Innerhalb eines Tages setzte der trockene Stab Knospen an, blühte und trug Früchte. Selbst lebende Bäume brauchen dafür Monate. Doch damals geschah es in vierundzwanzig Stunden: ein trockener, toter Stab trug Früchte. Das war möglich, weil der Stab vom Gottes Raum bedeckt war.

Als Jesus den Feigenbaum verfluchte, starb dieser sofort. Der Grund war, dass der Baum im Raum Gottes war. *„Und als er einen Feigenbaum an dem Weg sah, ging er auf ihn zu und fand nichts an ihm als nur Blätter. Und er spricht zu ihm: Nie mehr komme Frucht von dir in Ewigkeit! Und sogleich verdorrte der Feigenbaum. Und als die Jünger es sahen, verwunderten sie sich und sprachen: Wie ist der Feigenbaum sogleich verdorrt?"* (Matthäus 21,19-20).

Das war auch der Fall, als Jesus den verstorbenen Lazarus von den Toten auferweckte. In Johannes 11 lesen wir, dass der Mann schon vier Tage tot war und sein Leichnam stank. Doch als Jesus den Mann beim Namen rief, kehrte dessen Geist wieder in seinen Leib zurück, der bereits angefangen hatte zu verwesen, und regenerierte ihn wieder. Was im physischen Bereich unmöglich ist, kann im Raum Gottes augenblicklich möglich gemacht werden.

In unserer Gemeinde war ein Junge im Teenageralter, der auf einem Auge gar nichts mehr sehen konnte. Doch seine Sehkraft wurde wiederhergestellt. Im Alter von drei Jahren hatte man ihn wegen des Grauen Stars operiert. Eine Folgeerscheinung war jedoch eine stark ausgeprägte Entzündung der mittleren Augenhaut, zum anderen löste sich die Retina. Als sie sich von der Augenwand löste, konnte er nicht gut sehen. Noch schlimmer war, dass sein Augapfel schrumpfte. Schließlich verlor er 2006 sein Augenlicht links ganz.

Doch im Juli 2007 empfing er seine Sehkraft durchs Gebet wieder. Sein linkes Auge konnte nicht nur Licht wahrnehmen, sondern hatte eine Sehstärke von 0,1. Der geschrumpfte Augapfel erlangte seine normale Größe wieder. Im rechten Auge hatte er eine Stärke von 0,1. Sie verbesserte sich auf 0,9. Dieses Zeugnis wurde auf der 5. Internationalen Konferenz christlicher Mediziner als das beeindruckendste eingestuft. Es war dort in allen Einzelheiten über 220 Medizinern aus 41 Ländern vorgestellt worden.

Das gleiche Prinzip trifft auf alle anderen Organe, Gewebe und Nerven zu. Selbst wenn Nerven, Zellen oder Gewebe nach einem Unfall oder aufgrund einer Krankheit abgestorben sind, können sie wieder normal werden, wenn sie in den Raum Gottes eintauchen. Sogar Behinderungen können in diesem Raum geheilt werden. Darüber hinaus können dort von Bakterien oder Viren verursachte Krankheiten wie Krebs, AIDS, Tuberkulose, Erkältungen und Fieber geheilt werden.

Bei Krankheiten kommt das Feuer des Heiligen Geistes und verbrennt zuerst alle Bakterien und Viren. Danach erholt sich der Teil des Körpers, der durch die Krankheit geschädigt wurde. Unfruchtbare Ehepaare können Kinder bekommen, wenn der Teil ihres Körpers, der das Problem hatte, durch den Raum Gottes bedeckt wurde. Um in Gottes Raum von Krankheiten und Schwachheiten geheilt zu werden, muss der Betroffene allerdings den Anforderungen von Gottes Gerechtigkeit entsprechen.

Werke, die über Raum und Zeit hinausgehen

Mächtige Werke, die sich im Raum Gottes manifestieren, können über die Grenzen von Raum und Zeit hinweg geschehen. Das ist möglich, weil der Raum Gottes andere Dimensionen übertrumpft und darüber hinausgeht. In Psalm 19,5 lesen wir: *„Ihre Messschnur geht aus über die ganze Erde und bis an das Ende der Welt ihre Sprache. Dort hat er der Sonne ein Zelt gesetzt."* Das bedeutet, dass das aus dem vierten Himmel gesprochene Wort Gottes an alle Enden der Welt geht.

Selbst große Entfernungen im ersten Himmel, dem physischen Raum, sind in Gottes Raum praktisch keine Distanz. In einer Sekunde bewegt sich das Licht 7,5 Mal um die Erde. Doch das Licht von Gottes Kraft kann nicht nur das Ende der Erde, sondern das des Universums in einem Augenblick erreichen. Der physische Abstand ist im Raum Gottes bedeutungslos.

In Matthäus 8 kam der Hauptmann zu Jesus und bat ihn, für seinen kranken Diener zu beten. Jesus erwiderte, er würde mit ihm gehen, doch der Hauptmann sagte: *„Herr, ich bin nicht* *würdig, dass du unter mein Dach trittst; aber sprich nur ein Wort, und mein Diener wird gesund werden."* Jesus antwortete ihm: *„Geh hin, dir geschehe, wie du geglaubt hast!"* (Vers 13). In genau dem Moment wurde der Diener gesund.

Ein Kranker, der nicht am selben Ort war, wurde geheilt, als Jesus den Befehl für die Heilung erteilte, weil Er den Raum Gottes besaß. Der Hauptmann konnte den Segen empfangen, weil er Jesus vollkommen vertraute. Jesus lobte den Glauben des Hauptmannes sogar: *„Wahrlich, ich sage euch, bei keinem in Israel habe ich so großen Glauben gefunden"* (Vers 10).

Den Kindern, die mit Ihm im Glauben verbunden sind, zeigt Gott immer Seine Werke, die Raum und Zeit übersteigen. Cynthia aus Pakistan lag mit Darmverschluss und Zöliakie, das heißt chronischer Verdauungsinsuffizienz, im Sterben. Ihre Schwester war zu der Zeit in Korea und brachte ein Foto von Cynthia zu mir. Ich sollte mit dem Bild in der Hand für sie beten. Die Heilung fand über Raum und Zeit hinweg statt. In den Vereinigten Staaten empfing auch Robert Johnson seine Heilung über Raum und Zeit hinweg. Seine Achillessehne war bei einem Sturz gerissen. Wegen der starken Schmerzen konnte er nicht laufen. Ihm wurde mitgeteilt, dass für die Heilung eine Operation nötig war, doch er erholte sich vollkommen ohne operativen Eingriff innerhalb von nur neun Wochen, weil für ihn in Korea gebetet wurde. Er hatte lediglich einen Gipsverband. So manifestiert sich Gottes Kraft im Raum Gottes.

Das außergewöhnliche Wirken des Apostel Paulus

In Apostelgeschichte 19 heißt es, Gott wirkte durch die Hände des Paulus außerordentliche Wunder. Als dieser im Namen Jesu Christi gebot, verschwanden böse Geister. Heilungen passierten, wenn Schweißtücher, die er gesegnet hatte, aufgelegt wurden. Paulus wurde nicht verletzt, als ihn eine Giftschlange biss. Er selbst weissagte auch. *„Und ungewöhnliche Wunderwerke tat Gott durch die Hände des Paulus, so dass man sogar Schweißtücher oder Schurze von seinem Leib weg auf die Kranken legte und die Krankheiten von ihnen wichen und die bösen Geister ausfuhren"* (Apostelgeschichte 19,11-12).

Gottes mächtige Werke können geschehen, wenn einfache Dinge wie Schweißtücher im Raum Gottes waren. Das ist doch erstaunlich! Auch wenn ich Schweißtücher segne und sie anderen Menschen aufgelegt werden, geschehen Heilungen. Die Kraft Gottes verschwindet und vergeht nicht, egal wie viel Zeit verstreicht, solange nicht gegen Gottes Gerechtigkeit verstoßen wird. Solche Tücher, die die Kraft Gottes enthalten, sind etwas sehr Kostbares, denn sie können den Raum Gottes öffnen, unabhängig von Ort und Zeit.

Wenn sie dagegen von jemandem ohne Glauben als etwas Gewöhnliches benutzt werden, manifestiert sich das Werk Gottes nicht. Nicht nur derjenige, der das Schweißtuch segnet, sondern auch der, für den gebetet wird, müssen die Anforderungen von Gottes Gerechtigkeit erfüllen. Beide müssen darauf vertrauen, dass die Kraft Gottes tatsächlich darin steckt. Der Glaube des Beters und des Patienten selbst werden genau gemessen. Das Werk Gottes manifestiert sich in dem Maße, wie sie der Gerechtigkeit Gottes entsprechen.

Josua hielt Sonne und Mond an

Der Grund, warum höher Dimensionen niedrigere übertrumpfen, ist die Stärke des Lichts und die Tatsache, dass die Zeit anders fließt. Je höher die Dimension des Raumes, desto heller das Licht und desto schneller fließt die Zeit. Das Licht im vierten Himmel ist das hellste, dann kommen der dritte und danach der zweite Himmel.

Was den Zeitfluss angeht, so ist er im zweiten schneller als im ersten. Im dritten Himmel ist er noch einmal schneller. Im vierten Himmel kann sie dagegen schneller oder langsamer verstreichen – je nachdem, was Gott in Seinem Herzen bewegt. Er kann sie verlängern, verkürzen oder sogar anhalten.

Das Werk der Schöpfung, das Zurückkehren der Toten ins Leben und göttliche Heilungen, die über Raum und Zeit hinweg geschehen, werden dadurch möglich, dass der Fluss der Zeit gestoppt wird. Darum kann ein besonderes Ereignis stattfinden, sobald jemand darüber im Herzen nachdenkt oder der Befehl dafür ergangen ist.

Als Josua gegen die Amoriter kämpfte, blieben Sonne und Mond stehen. Es war eine Art Streckung der Zeit. In Josua 10,13 steht geschrieben: *„Da stand die Sonne still, und der Mond* *blieb stehen, bis das Volk sich an seinen Feinden gerächt hatte.*" Dies geschah, als Josua bei der Eroberung von Kanaan gegen die Amoriter kämpfte. Welche Faktoren sorgten dafür, dass die Sonne im ersten Himmel den ganzen Tag lang stehen blieb?

Die Erde muss sich einmal am Tag um sich selbst drehen. Um die Sonne „anzuhalten", muss die Erde aufhören, sich zu drehen. Wenn die Erde das nur für einen Augenblick täte, wären die Konsequenzen nicht nur für den Planeten selbst, sondern für viele andere Himmelskörper gravierend. Wie konnte die Sonne dann einen ganzen Tag lang stehen bleiben?

Die Lösung finden wir im Raum Gottes. Damals deckte Gott nicht nur die Erde, sondern den gesamten ersten Himmel mit Seinem Raum ab. So wurde zumindest einen Augenblick lang alles im ersten Himmel mit dem Zeitfluss im geistlichen Raum synchronisiert. Es war eine Zeitverzögerung. Die Sonne stand den ganzen Tag lang still. Die Leute damals haben vielleicht gedacht, eine lange Zeit sei verstrichen. Tatsache ist, dass es nur eine Minute oder vielleicht sogar nur eine Sekunde lang so war.

Damals war der gesamte erste Himmel im Zeitfluss des geistlichen Raums, so dass der physische Zeitfluss keinerlei Auswirkungen hatte. Selbst wenn nur ein Teil des ersten Himmels – nicht der ganze erste Himmel – von Gottes Raum bedeckt war, wäre das kein Problem gewesen, weil andere Teile des physischen Raumes immer noch im Zeitfluss des physischen Raums gewesen wären.

Elia rannte schneller als die Kutsche des Königs fuhr

In der Bibel sehen wir einen Fall, wo jemand im verkürzten Zeitfluss war. Das war der Fall, als Elia vor der Kutsche von König Ahab rannte, wie es in 1. Könige 18 geschrieben steht. Der verkürzte Zeitfluss ist das Gegenteil des verlängerten Zeitflusses. Stellen wir uns vor, jemand im physischen Raum ist eine Stunde lang vom Raum in der vierten Dimension bedeckt. Im Raum Gottes kann er diese eine Stunde verkürzen, wenn er will. Wenn er sie auf 30 Minuten verkürzt, heißt das nicht, dass die andere halbe Stunde verschwunden ist. Es bedeutet vielmehr, dass eine Stunde auf 30 Minuten komprimiert wurde.

Stellen wir uns vor, dass wir ein 100 Meter langes Stück Tuch haben und wir innerhalb von 20 Sekunden von einem Ende zum anderen gerannt sind. Wenn man das Tuch auf die Hälfte faltet, wie lange würde es dauern? Es wäre nur noch 50 Meter lang, also müssten wir es in 10 Sekunden schaffen. Wenn man das Tuch nochmals faltet und es so verkürzt, wird auch die Zeit wieder kürzer. Aber das Tuch ist nicht verschwunden.

Ähnlich verhält es sich mit der Verkürzung der Zeit im Raum Gottes. Elia rannte mit seiner eigenen Geschwindigkeit, aber er war schneller als der König in seiner Kutsche, weil er sich in einem verkürzten Zeitfluss aufhielt. Passagierflugzeuge fliegen normal mit rund 900 km/h, doch die Passagiere merken die Geschwindigkeit nicht.

In 1. Könige 18,46 heißt es: *"Und die Hand des HERRN kam über Elia; und er gürtete seine Hüften und lief vor Ahab her bis nach Jesreel hin.*" König Ahab war in Eile, weil er dem Regen ausweichen wollte. Aber Elia überholte die Kutsche. Er konnte schneller rennen, weil er der Raum Gottes nutzte, wo er nicht durch Raum oder Zeit eingeschränkt war. Die Bibel berichtet, dass die Hand des Herrn auf Elia war. Der Körper von Elia war von Gottes Kraft bedeckt und so geschah etwas, was über das menschliche Vermögen hinausging.

Sich durch den geistlichen Raum bewegen

In Apostelgeschichte 8 ließ sich Philippus vom Heiligen Geist führen und traf auf dem Weg nach Jerusalem auf den äthiopischen Eunuchen. Er predigte Ihm das Evangelium von Jesus Christus und taufte ihn sogar. Philippus war zunächst in der Wüste auf der Straße nach Gaza, aber einen Augenblick später fand er sich in Aschdod wieder. Er wurde praktisch durch den geistlichen Raum bewegt, wie bei einer „Teleportation". Wir lesen: *„Als sie aber aus dem Wasser heraufstiegen, entrückte der Geist des Herrn den Philippus, und der Kämmerer sah ihn nicht mehr, denn er zog seinen Weg mit Freuden. Philippus aber fand man zu Aschdod; und er zog hindurch und verkündigte das Evangelium allen Städten, bis er nach Cäsarea kam"* (Apostelgeschichte 8,39-40).

Bevor eine solche Teleportation stattfinden kann, muss man durch eine geistliche Passage, die durch Gottes Raum gebildet wird, hindurch gehen. Wenn der Fluss der Zeit in dieser Passage stoppt, kann man teleportiert werden.

Gott ließ unsere Gemeindemitglieder diese Art von Bewegung im geistlichen Raum indirekt erleben. Das geschah durch die Libellen, die in anderen Gegenden waren; sie kamen zu uns und verschwanden dann durch eine geistliche Passage, die Gott geschaffen hatte.

Ganze Schwärme von Libellen erschienen an dem Ort, wo unsere Sommerfreizeit stattfand. Sie fraßen alle Mücken und andere schädliche Insekten. Zu dem Zeitpunkt bewegten sich ausgewachsene Libellen vor einem Ort zum anderen. Es war im Jahr 2006, als wir das Bewegen der Libellen zum ersten Mal beobachteten. Man kann bei diesem Phänomen von horizontalen und vertikalem Bewegungen sprechen, je nach der Art der geistlichen Passage.

Noch erstaunlicher war, dass die Libellen keine Angst vor den Menschen hatten, als die Gemeindemitglieder sie zu sich riefen. Sie setzten sich unter anderem auf die Fingerspitzen unserer Mitglieder. Libellen sind nützlich, weil sie während der Sommermonate schädliche Insekten fressen. Ich erinnere mich noch daran, wie schwierig es in meiner Kindheit war, auch nur eine einzige Libelle zu fangen. Sie flogen davon, wenn sie die Gegenwart eines Menschen in der Nähe wahrnahmen. Mittlerweile ist es sehr schwierig, in Seoul auch nur eine einzige Libelle anzutreffen. Das Auftauchen von ganzen Libellenschwärmen ist definitiv ein Werk Gottes.

Im darauffolgenden Jahr, 2007, kamen die Libellen schon ab Anfang Juli. Normalerweise kommen sie erst im Spätsommer und bleiben über den Herbst da. Die Libellenlarven bewegten sich durch die geistliche Passage und reifen darin zu ausgewachsenen Libellen heran. Beim Passieren des vierdimensionalen Raums, wurde ihr Wachstum beschleunigt. Darum konnten sie viel früher im Jahr erscheinen als das normal der Fall wäre.

Im Jahr 2008 war nicht nur die Zeit ihres Erscheinens, sondern auch die Anzahl der Libellen kontrolliert. Endlose Schwärme von Libellen fingen in der ersten Juliwoche an, vom Himmel herabzukommen. Mehrere Missionsgruppen unserer Gemeinde veranstalteten ihre jeweiligen Sommerfreizeiten an verschiedenen Orten in Südkorea. Alle Gemeindemitglieder sahen, wie die Libellen um die Sonne herum waren und dann vertikal nach unten kamen. Die Libellen flogen nicht an andere Orte. Sie kamen herab und blieben in dem Gebiet, in das sie gekommen waren. Man sah, wie sie bei den Gemeindemitgliedern auf den Händen, Gesichtern oder Schultern saßen.

In jenem Jahr war das Thema der Freizeit „Der geistliche Raum" und die Freude der Gläubigen war riesig. Sie konnten die Botschaft verstehen, weil sie mit den Libellen, die durch den geistlichen Raum zu ihnen gestoßen waren, ein echtes Beispiel vor Augen hatten. Durch diese Freizeit wuchs der Glaube der Gemeindemitglieder eine Stufe. Das Gleiche fand in allen Tochtergemeinden – nicht nur in Korea, sondern auf der ganzen Welt – statt.

Im Sommer 2009 wiederholte sich dieses Ereignis. Alle Missionsgruppen gingen auf ihre Freizeit und es gab sogar noch mehr Libellen als in den Jahren zuvor. Die Geschwister sahen

Zehntausende von Libellen, die um die Sonne herum flogen und dann herunterkamen – durch eine geistliche Passage, die geöffnet worden war. Als sie vom Himmel herabkamen, glitzerten sie und sahen wie Schneeflocken aus.

Als das Volk Israel das Schilfmeer überquerte, das von starken Winden geteilt war, wurde für sie eine geistliche Passage gebildet. Wie stark müssen die Winde wohl gewesen sein, um das Meer zu teilen! Bei so starken Böen bleibt kein Mensch stehen. Doch mehr als zwei Millionen Israeliten marschierten friedlich mittendurch, trotz des starken Windes. Der Grund ist, dass für sie eine geistliche Passage gebildet wurde, damit sie nicht vom Wind umgehauen wurden. Was geschah, als sie den Jordan überquerten, um ins Land Kanaan zu gehen?

In Josua 3,15-16 lesen wir: „*...und als die Träger der Lade an den Jordan kamen und die Füße der Priester, die die Lade trugen, in das Wasser am Ufer tauchten – der Jordan aber führt in der ganzen Erntezeit Hochwasser-, da blieb das von oben herabfließende Wasser stehen. Es richtete sich auf wie ein Damm, sehr fern, bei der Stadt Adam, die bei Zaretan liegt. Und das Wasser, das zum Meer der Steppe, dem Salzmeer, hinabfloss, verlief sich völlig. So zog das Volk hindurch, gegenüber von Jericho.*"

Von dem Punkt, wo das Volk Israel war, türmte sich das Wasser stromaufwärts auf; stromabwärts floss es einfach ab. Damals gab es eine geistliche Passage in der Form eines Dammes.

Verschiedene Beispiele dafür, wie geistliche Passagen benutzt wurden

Wenn wir diese geistliche Passage gut zu nutzen wissen, können wir Wetterphänomene kontrollieren. Stellen wir uns vor, zwei Gegenden leiden, eine unter Überschwemmungen, die andere unter Dürre. Wenn wir die Regenwolken aus dem Überflutungsgebiet in die trockene Gegend bewegen, können wir das Problem in beiden Gebieten lösen.

Der unerwartete Regen in Israel war ein solches Beispiel. Im September 2009 betete ich für ein besonderes Anliegen, während ich mich auf die Evangelisation in Israel vorbereitete. Das Land durchlebte eine schwere Dürre, die schon fünf Jahre dauerte. Die Pastoren in Israel beschrieben mir die Situation und baten mich, dafür zu beten.

Wenn solch ein Anliegen, dass von nationalem Interesse ist, erhört werden soll, müssen bestimmte Vorbedingungen erfüllte sein. Der Präsident oder das jeweilige Staatsoberhaupt muss um Gebet bitten oder die Mehrheit der Menschen muss voller Glauben dafür beten. Doch weil mir ihre Situation so leid tat, betete ich nur am ersten und zweiten Tag der Großveranstaltung dafür, dass Regenfälle die Dürre in Israel ablösen würden.

Was war das Ergebnis? In Israel wird klar zwischen Regen- und Trockenzeit unterschieden. Der September fällt in die Trockenzeit und in dem Monat regnet es sehr selten. Manchmal fängt es Anfang Oktober an, etwas zu regnen, aber die tatsächliche Regenzeit geht von Dezember bis zum darauffolgenden Februar. Wegen der langen Dürre war der Pegel im See Genezareth unter die rote Linie gefallen, die bei 208 Metern liegt. Dabei handelt es sich um die untere Grenze, von da an darf kein Wasser mehr aus dem See abgepumpt werden. Doch einen Tag nach dem Ende der Großveranstaltung fing es im Norden Israels an zu regnen. Am 13. September, einem Sonntag, gab es in Jerusalem und Tel Aviv ergiebige Niederschläge. Die israelischen Pastoren freuten sich, gaben Gott die Ehre und bezeugten, dass es eine Gebetserhörung war. Doch das war noch nicht das Ende der Geschichte. In der darauffolgenden Woche regnete es weiter und das israelische Ministerium für Wasserwirtschaft teilte mit, dass innerhalb von zwei Tagen so viel Regen gefallen war, wie sonst im Durchschnitt im September und Oktober zusammen. Das war nicht etwas, was gemäß der Gerechtigkeit Gottes möglich gewesen wäre, aber Er erhörte das Gebet und ging über Sein gerechtes Maß hinaus, so dass es regnen konnte.

Es gibt so viele Taifune und Hurrikans, die auf der Welt Verwüstung anrichten. Wenn wir den Pfad der Taifune und Hurrikane in unbewohnte Gebiete leiten können, gibt es keine Probleme.

Zwei Taifune bewegten sich auf die Philippinen zu, als ich für die Großevangelisation 2001 dorthin flog. Der 16. Taifun hieß Nari und der 19. Lekima. Beide Wirbelstürme kamen auf die Philippinen zu. Hätten sie den vorhergesagten Weg beschritten, hätten wir die Evangelisation nicht abhalten können. Auf der Pressekonferenz fragten mich die Reporter, ob die Veranstaltung trotz dieser tropischen Stürme überhaupt würde stattfinden können. Damals sagte ich: „Die Taifune werden sich auflösen oder ihre Richtung ändern. Während der Evangelisation wird es weder Taifune noch Regen geben. Kommen Sie also bitte und nehmen Sie teil." Nari löste sich kurz vor der Veranstaltung auf und Lekima änderte ganz plötzlich die Richtung und ging an den Philippinen vorbei. So konnten wir die Gottesdienste problemlos durchführen.

Wir können nicht nur Taifune stoppen, sondern auch andere Naturkatastrophen, wie Vulkanausbrüche oder Erdbeben, wenn wir den geistlichen Raum nutzen. Wir können einfach die Quelle des Vulkanausbruches oder das Epizentrum eines Erdbebens in den Raum Gottes eintauchen. Diese Dinge sind möglich, wenn sie der Gerechtigkeit Gottes entsprechen. Um ein Desaster, das auf nationaler Ebene Schaden ausrichten würde, zu stoppen, muss allerdings der Staatschef des Landes um Gebet bitten. Wenn der geistliche Raum offen ist, kann die Gerechtigkeit des Himmels nicht vollkommen ignoriert werden. Das Wirken des geistlichen Raums wird eingeschränkt, so dass im ersten Himmel kein Durcheinander entsteht, nachdem der geistliche Raum aufgehoben wird. Gott regiert in allen Himmeln mit Seiner Allmacht und Er ist der Gott der Liebe und Gerechtigkeit.

Liebe, die Gerechtigkeit übersteigt

Im 1. Mose 18 lesen wir, dass Gott Abraham im Voraus

sagte, was mit dem korrupten Sodom und Gomorra passieren würde: *„Und der HERR sprach: Das Klagegeschrei über Sodom und Gomorra, wahrlich, es ist groß, und ihre Sünde, wahrlich, sie ist sehr schwer. Ich will doch hinabgehen und sehen, ob sie ganz nach ihrem Geschrei, das vor mich gekommen ist, getan haben; und wenn nicht, so will ich es wissen"* (1. Mose 18,20-21).

Sodom und Gomorra wurden für ihre Sünden gemäß der Gerechtigkeit Gottes bestraft, aber Gott ließ Abraham dies im Voraus wissen, weil dessen Neffe Lot dort lebte. Es war das liebende Herz Gottes, der ihm noch eine Chance geben wollte. So sehen die Liebe und Gerechtigkeit Gottes aus.

Abraham bat Gott fünfmal, Sodom zu retten. Zunächst bat er Ihn, es nicht zu zerstören, wenn es dort fünfzig Gerechte gab, dann fünfundvierzig, dann vierzig, dann dreißig, dann zwanzig und am Ende ging er auf gerade einmal zehn herunter. *„Da sagte er: Der Herr möge doch nicht zürnen, ich will nur noch dieses Mal reden. Vielleicht werden dort zehn gefunden. Und er sprach: Ich will nicht vernichten wegen der zehn"* (1. Mose 18,32).

Ein einfaches Geschöpf, Abraham, konnte Gott so kühn darum bitten. Das zeigt, dass sein Herz dem des Herrn glich und eins mit Gott geworden war. Er betete mit echter Liebe, um das Herz Gottes zu bewegen und die Menschen zu retten. Und Gott war angerührt von seiner Liebe und versprach das zu tun, worum Abraham gebeten hatte.

Gottes Motivation ist Liebe – innerhalb der Grenzen

der Gerechtigkeit. Er wollte Barmherzigkeit und Mitgefühl demonstrieren, selbst als Er Sodom und Gomorra bestrafte. Dass Abraham als Gerechter überhaupt die Gelegenheit bekam, noch einmal für diese Städte zu beten, zeigt, dass Gott den Leuten aus lauter Liebe, die die Gerechtigkeit übersteigt, noch einmal eine Chance gab.

Sodom und Gomorra wurden am Ende bestraft, weil es dort nicht einmal zehn Gerechte gab. Doch Abrahams Neffe Lot und seine Familie wurden gerettet. Der Grund war, dass sich Lot im Einflussbereich Abrahams befand, der von Gott geliebt war. Anders ausgedrückt, weil Er Abraham so sehr liebte, dachte Er an ihn und schützte Lot und dessen Familie, indem Er ihnen einen geistlichen Raum schuf.

Wie bereits erläutert, kann in der Liebe und Gerechtigkeit Gottes – im Raum Gottes – alles kontrolliert werden. Liebe annulliert Gerechtigkeit, ohne dagegen zu verstoßen. Um solche Dinge geschehen zu lassen, muss man ein Herz entwickeln, das der Gerechtigkeit im vierten Himmel entspricht. Wenn jemand ein Herz entwickelt hat, das mit Gott eins ist, kann er die Werke Gottes tun, die über Seine Gerechtigkeit hinausgehen, ohne dadurch dagegen zu verstoßen.

Die Frage ist, wie kann man ein Herz entwickeln, das dem Gottes entspricht? Bevor das geschieht, hat jemand – allein mit Glauben und Liebe – bereits erstaunliche Prüfungen bestanden, die für den Menschen eigentlich unvorstellbar sind. Er muss den Preis zahlen – gemäß der Gerechtigkeit Gottes, indem er jeden

Schritt der Prüfung mitmacht, bis er in der Lage ist, den Raum Gottes zu nutzen, nachdem er die Gerechtigkeit im vierten Himmel gelernt hat.

Abraham machte viele Prüfungen durch, bis er als „Freund Gottes" bezeichnet wurde. Als er fünfundsiebzig Jahre alt war, sagte Gott ihm, von ihm würde eine große Nation ausgehen, doch über fünfundzwanzig Jahre lang zeugte er mit seiner Ehefrau kein Kind. Erst als er neunundneunzig und Sarah neunundachtzig war und kein Kind mehr empfangen konnte, sagte Gott ihm endlich, er würde im darauffolgenden Jahr einen Sohn haben.

Dies war gemäß menschlichem Ermessen vollkommen unmöglich. Doch Abraham setzte sein Vertrauen auf Gott und zweifelte nie. Gott rechnete ihm seinen Glauben als Gerechtigkeit an und so wie er es geglaubt hatte, zeugte Abraham Isaak. Isaak wuchs auf und war wunderbar. Dann sagte Gott zu Abraham, er möge Isaak opfern. Abraham glaubte, dass Gott ihn von den Toten auferwecken konnte, selbst nachdem er ihn als Brandopfer dargebracht hatte, denn Gott hatte ihm bereits verheißen, dass er durch Isaak viele Nachkommen haben würde. Er konnte seinen einzigen Sohn, Isaak, ohne zu zögern, abgeben, denn er begegnete Gott mit echter Ehrfurcht.

Nachdem Abraham all diese Prüfungen bestanden hatte, bezeichnete Gott ihn als Freund und etablierte ihn als „Vater des Glaubens". Nach der letzten Prüfung, wo er seinen einzigen Sohn als Brandopfer darbringen sollte, empfing er alle Segnungen, die ein Mensch empfangen kann, wie zum Beispiel den Segen, Kinder zu haben, aber auch Gesundheit, Reichtum und ein langes Leben.

Gott will wahre Kinder haben, die Segnungen empfangen und zahlreichen Seelen den Weg der Errettung weisen – durch das Gebet des Glaubens und eine Liebe wie die des Abraham. In 1. Mose 18,17-19 heißt es: *„Der HERR aber sprach bei sich: Sollte ich vor Abraham verbergen, was ich tun will? Abraham soll doch zu einer großen und mächtigen Nation werden, und in ihm sollen gesegnet werden alle Nationen der Erde! Denn ich habe ihn erkannt, damit er seinen Söhnen und seinem Haus nach ihm befehle, dass sie den Weg des HERRN bewahren, Gerechtigkeit und Recht zu üben, damit der HERR auf Abraham kommen lasse, was er über ihn geredet hat."*

Wenn wir einmal die Grundprinzipien von Gottes Raum verstanden haben, die bis zu diesem Punkt erklärt worden sind, können wir viele Ereignisse in der Bibel besser begreifen und sie auch persönlich erleben. Wir können über menschliche Einschränkungen hinausgehen, wenn wir echte Kinder Gottes werden, indem wir Ihm vertrauen und Sein verlorenes Ebenbild wiedererlangen. Aus diesem Grund gab uns der auferstandene Herr Jesus, bevor Er in den Himmel auffuhr, folgende letzte Worte mit: *„Aber ihr werdet Kraft empfangen, wenn der Heilige Geist auf euch gekommen ist; und ihr werdet meine Zeugen sein, sowohl in Jerusalem als auch in ganz Judäa und Samaria und bis an das Ende der Erde"* (Apostelgeschichte

1,8).

Gibt es eine Abkürzung, um die Kraft Gottes zu empfangen und Zeugen für den Herrn zu werden? Ja, wenn wir unsere Herzen heiligen und eifrig dafür beten, eine Person zu werden, die ganz vom heiligen Geist geleitet wird, so dass wir den Raum Gottes nutzen können. Darüber hinaus sollten wir danach streben, Gottes Gerechtigkeit und Liebe vollkommen zu kultivieren, damit wir die schönsten Wohnungen im neuen Jerusalem und sogar den Raum Gottes erben können.

Kapitel 2
Gottes Bild

Man kann das verloren gegangene Bild Gottes wiedererlangen,
wenn man ein wahres Kind Gottes geworden ist – mit einem Herzen,
das Seinem ähnelt. Das heißt aber nicht, dass man wie Gott selbst wird.
Er kann sowohl als Licht – ohne jegliche Form – existieren,
aber auch eine gewisse Gestalt annehmen.

Für die Menschheit nahm Gott eine Gestalt an

Der Mensch ist im Ebenbild Gottes geschaffen

Wir können Gottes Angesicht nicht direkt sehen

Die Größe von Gottes Gestalt

Gottes Ebenbild aus der Sicht des Apostel Johannes

Habe teil an der göttlichen Natur

Wie sieht Gott aus? Wie groß ist Er wohl? Wenn jemand Jesus Christus angenommen hat und Gott mehr und mehr kennen lernt, sollte er auch neugierig sein in Bezug darauf, wie Gott und das Königreich der Himmel aussehen. Wenn Kinder für lange Zeit von ihren Eltern getrennt sind, vermissen sie sie und wissen sie mehr zu schätzen. So ähnlich ist es, wenn wir nach Gott trachten und uns von Herzen nach Ihm sehnen.

In Matthäus 5,8 heißt es: *„Glückselig, die reinen Herzens sind, denn sie werden Gott schauen."* Mit dem reinen Herzen ist gemeint, dass man sich nicht nach bedeutungslosen Dingen ausstreckt, sondern danach, rein und wahrheitsliebend zu sein. Es ist ein Herz, dass ohne Schuld und Flecken ist, das nichts Böses oder Ungezogenes denkt. Das heißt nicht, dass sie Gott in Seiner Ursprünglichkeit sehen werden. Vielmehr bedeutet es, dass sie Ihn erleben werden, weil sie alles empfangen, was sie von Ihm erbitten.

Damit soll aber nicht gesagt sein, dass niemand Gott je sehen wird. Es bedeutet vielmehr, dass man Gott nicht direkt von Angesicht zu Angesicht sehen kann (2. Mose 33,20). Gott ist Geist und wir können Sein Bildnis nicht vollkommen sehen, weil wir nicht in der Lage sind, Ihn direkt anzuschauen. Dennoch sagt Er, wir sind in Seinem Ebenbild geschaffen. Somit können wir zunächst davon ausgehen, dass wir in unserer Erscheinung etwas mit Gott gemeinsam haben. Wir können uns mithilfe der Bibel, die eine Offenbarung Gottes ist, vorstellen, wie Er ausschaut.

Für die Menschheit nahm Gott eine Gestalt an

In 2. Mose 4,14 finden wir, wie Gott sich als *„Ich bin, der ich bin"* beschreibt. Er ist das perfekte Wesen, das allein existiert – von Ewigkeit zu Ewigkeit. Der Mensch hat nur begrenztes Wissen und meint, für alles müsse es einen Anfang geben. Darum benutzt Gott das Wort „Anfang", aber das macht Er nur, damit wir es verstehen können.

In Johannes 1,1 lesen wir: *„Im Anfang war das Wort, und das Wort war bei Gott, und das Wort war Gott."* Und im 1. Mose 1,1 steht: *„Im Anfang schuf Gott den Himmel und die Erde."*

Gott schuf den Menschen, zu der Zeit, als Er auch die Himmel und die Erde und alles darin schuf. Damit etablierte der „Anfang" im 1. Mose eine Beziehung zum Menschen. Andererseits beschreibt der in Johannes 1 erwähnte Anfang eine Zeit, die lange vor der Schöpfung lag. Sie stellt allerdings auch keine Beziehung zum Menschen dar.

Am Anfang existierte Gott in einem Raum, der geistlich und

für unsere Augen unsichtbar ist. Er lebte als ein wunderschönes und hell strahlendes Licht, das über allen Räumen im Universum schwebte. Gott vereinte Menschlichkeit und Göttlichkeit und aus diesem Grund plante Er die Menschheitsgeschichte. Er wollte echte Kinder haben und begann als Dreieinigkeit zu existieren: Vater, Sohn und Heiliger Geist.

In dem Moment fing Gott an, ein Ebenbild zu haben. In 1. Mose 1,26 lesen wir: *„Lasst uns Menschen machen in unserm Bild, uns ähnlich!"*

Natürlich handelt es sich nicht um eine körperliche Form wie bei den Menschen. Es war ein geistliches Bild, um Gott – der Geist ist – einen Leib zu geben. Engel, die himmlische Armee und die Cherubim sind zwar allesamt geistliche Wesen, haben aber eine Gestalt. Gott hatte am Anfang keine spezielle Form und nahm erst zu einem späteren Zeitpunkt eine an.

Der dreieinige Gott nahm für uns Menschen Gestalt an. Und nachdem Er die Erde geschaffen hatte, auf der sich die menschliche Geschichte abspielen sollte, kam Er hierher. Er schaute sich an, was die Erde in Zukunft brauchen würde und überlegte, wie Er diese Dinge schaffen würde. Dann begann Er mit der Schöpfung aller Dinge.

Der Mensch ist im Ebenbild Gottes geschaffen

Der dreieinige Gott schuf den Menschen in Seinem Ebenbild am sechsten Tag der Schöpfung. Das bedeutet nicht, dass nur das

Äußerliche des Menschen in Gottes Bild erschaffen wurde. Auch unser Herz ist nach Seinem Herzen geschaffen worden.

Doch durch den Ungehorsam Adams verlor der Mensch das ursprüngliche Ebenbild, dass er bei der Schöpfung hatte, und die Menschheit wurde in immer stärkerem Maße von der Sünde besudelt. Dass Adam das Ebenbild Gottes verlor, bedeutet nicht, dass er es äußerlich verlor, sondern dass er die Natur Gottes – und Seinen heiligen Duft – verlor. Der Mensch besteht aus Geist, Seele und Leib. Doch nach dem Sündenfall, „starb" der Geist aller Menschen. Seither unterscheidet er sich nicht von Tieren, die nur mit einer Seele und einem Leib geschaffen wurden.

Als aber die rechte Zeit kam, sandte Gott Jesus auf die Erde, um den Weg der Errettung zu bahnen, damit jeder gerettet werden konnte. Allen, die Jesus Christus annehmen, schenkt Gott Seinen Heiligen Geist. Dann wird der tote Geist des Menschen wiederbelebt und er kann das verlorene Bild Gottes auch wiedererlangen. Der heilige Gott will, dass Seine Kinder heilig sind. Darum ruft Er uns eindringlich zu: *„Seid heilig, denn ich bin heilig"* (1. Petrus 1,16).

Gott schaut nicht auf das Äußere, sondern das Herz eines jeden Menschen. Wir können nicht zu wahren Kindern Gottes werden, wenn wir nicht bis aufs Blut gegen die Sünde ankämpfen, sie nicht aus unserem Leben verbannen und nicht alle Formen des Bösen ablegen. In dem Maße, wie wir Gott, der Licht ist, widerspiegeln, können wir Sein verloren gegangenes Ebenbild wiedererlangen und aus unserem geistlichen Leib helles

Licht verströmen.

In 1. Johannes 5,18 heißt es: „*Wir wissen, dass jeder, der aus Gott geboren ist, nicht sündigt; sondern der aus Gott Geborene bewahrt ihn, und der Böse tastet ihn nicht an.*" Gott beschützt alle, die nach Seinem Wort leben und nicht sündigen. Weil ihr Licht so hell ist, kann der Feind, Satan, sich ihnen nicht einmal näher.

Der Grund, warum Gott die Welt und den Menschen schuf, ist, dass Er wahre Kinder haben wollte, die in Seinem Ebenbild geschaffen waren. Doch seit der Zeit der Schöpfung hat fast kein Mensch das Ebenbild Gotte gepflegt. Seit Adam sind unzählige Menschen geboren worden, doch nur eine Handvoll entwickelte tatsächlich ein Herz, wie Gott es sich von ihnen wünschte. Jene Menschen wandelten mit Gott und offenbarten Seine Herrlichkeit in ihrem Leben. Sie bewirkten mächtige Dinge, die über die menschliche Vorstellung hinausgingen. Elia holte Feuer vom Himmel, Abraham opferte praktisch seinen Sohn Isaak, Paulus war in seinem Leben und seiner Liebe in allem treu. Wenn Gott sie betrachtete, war Er voller Freude.

Doch selbst unter denen, die für das Königreich Gottes benutzt wurden, gab es Menschen, die eigentlich nicht als „wahre Männer Gottes" betrachtet werden können. Beispielsweise lernte Elisa alles von Elia und bekam die doppelte Portion der Inspiration oder Salbung des Elia. Aber sein Herz war nicht so vollkommen wie das von Elia (2. Könige 2,24). Als Kinder ihn verfolgten und auf unerträgliche Weise verspotteten, verfluchte er sie am Ende. Zwei Bärinnen kamen und zerrissen 42 Kinder. Auch Lot sah die Güte Abrahams und dennoch pflegte er sein Herz nicht so gut. Er empfing dank Abraham materielle Segnungen und wurde in einer gefährlichen Situation von ihm vor dem Tod gerettet. Doch selbst danach entwickelte er kein vollkommenes Herz.

Natürlich wirkte Elisa viele erstaunliche Wunder und die Menschen sagten, er sei ein Mann Gottes. Doch das war nur so, weil sie ihn als Propheten respektierten. Ein echter Mann Gottes ist nicht nur jemand, den Gott zu Seinen Zwecken für einen Moment benutzen kann, sondern jemand, der das verlorene Bild Gottes wiedererlangt und ein reines, heiliges Herz hat, das frei ist von jeglichen Flecken oder Runzeln.

Wir können Gottes Angesicht nicht direkt sehen

Seit dem Fall Adams kann niemand im ersten Himmel das Gesicht Gottes, der Licht ist, sehen. Gott ist Geist und wir können Ihn nicht mit unseren physischen Augen betrachten. Auch heißt es in 2. Mose 33,20: *„Dann sprach er: Du kannst es nicht ertragen, mein Angesicht zu sehen, denn kein Mensch kann mich sehen und am Leben bleiben."*

Elia wurde, ohne zu sterben, in den Himmel entrückt. Und dennoch konnte er Gott nicht direkt anschauen. In 1. Könige 19,12-13 heißt es: *„Und nach dem Erdbeben ein Feuer, der HERR aber war nicht in dem Feuer. Und nach dem Feuer der Ton eines leisen Wehens. Und es geschah, als Elia das* hörte, verhüllte er sein Gesicht mit seinem Mantel, ging hinaus und stellte sich in den Eingang der Höhle. *Und siehe, eine Stimme geschah zu ihm: Was tust du hier, Elia?*" Elia verhüllte sein Gesicht mit seinem Umhang, sobald er die Stimme Gottes vernahm.

In Richter 13,22 steht geschrieben: „*Und Manoach sagte zu seiner Frau: Ganz sicher müssen wir jetzt sterben, denn wir haben Gott gesehen!*" Manoach war der Vater von Simson. Jesaja sagte: „*Wehe mir, denn ich bin verloren. Denn ein Mann mit unreinen Lippen bin ich, und mitten in einem Volk mit unreinen Lippen wohne ich. Denn meine Augen haben den König, den HERRN der Heerscharen, gesehen*" (Jesaja 6,5).

Damals starben Menschen, wenn sie sich in Bezug auf einen für Gott geheiligten Ort oder Gegenstand etwas zu Schulden kommen ließen. Das war zum Beispiel bei den Männern von Bet-Schemesch der Fall, die sterben mussten, weil sie in die Bundeslade des Herrn schauten (1. Samuel 6,19).

Weil Menschen sterben, wenn Sie Gottes Angesicht sehen, offenbarte sich Gott ihnen indirekt. Er zeigte sich in einer Flamme in einem Dornenbusch, in einem Feuer oder in den Wolken. Manchmal offenbarte Er sich durch Wunder wie die Teilung des Schilfmeers oder das Aufhalten von Sonne und Mond. Auch mit Zeichen erwies Er sich, wie zum Beispiel als Lahme stehen, Blinde sehen, Taube hören und Stumme reden konnten oder als Tote auferstanden.

Gott zeigte Sein Angesicht durch den Herrn Jesus, wie

es in Kolosser 1,15 geschrieben steht: *"Er ist das Bild des unsichtbaren Gottes, der Erstgeborene aller Schöpfung."* In Johannes 1,18 lesen wir: *"Niemand hat Gott jemals gesehen; der eingeborene Sohn, der in des Vaters Schoß ist, der hat ihn kundgemacht."* Und in Johannes 14,9 heißt es: *"Niemand hat Gott jemals gesehen; der eingeborene Sohn, der in des Vaters Schoß ist, der hat ihn kundgemacht."*

Heute sagen viele Leute, sie würden Gott glauben, aber sie kennen Ihn nicht wirklich und verstehen Sein Herz und Seinen Willen nicht. Das Bild in ihrem Herzen davon, wie Gott ist, haben sie sich selbst gebastelt. Es ist wie ein Frosch, der in einem Brunnen lebt und denkt, der kleine, runde Himmel, den er sieht, sei der ganze Himmel. So können diese Menschen auch die wahre Liebe von Gott dem Vater nicht teilen. Und wenn sie andere sehen, die sich von Gott geliebt wissen, meinen sie, das sei merkwürdig.

Jesus zeigte das Ebenbild Gottes

In Johannes 14,9 sagte Jesus: *"Wer mich gesehen hat, hat den Vater gesehen."* Warum? Jesus ist im Vater. Und Gott ist in Jesus. Sie sind demnach vollkommen eins. Darum waren die Worte Jesu nicht Seine eigenen, sondern die von Gott dem Vater, der sie Ihm gab.

In Johannes 12,49-50 sagte er: *"Denn ich habe nicht aus mir selbst geredet, sondern der Vater, der mich gesandt hat, er hat mir ein Gebot gegeben, was ich sagen und was ich reden soll;*

und ich weiß, dass sein Gebot ewiges Leben ist. Was ich nun rede, rede ich so, wie mir der Vater gesagt hat." In Matthäus 15,30-31 steht geschrieben: „*Und große Volksmengen kamen zu ihm, die Lahme, Blinde, Krüppel, Stumme und viele andere bei sich hatten, und sie warfen sie ihm zu Füßen; und er heilte sie, so dass die Volksmenge sich wunderte, als sie sahen, dass Stumme redeten, Krüppel gesund wurden, Lahme gingen und Blinde sahen; und sie verherrlichten den Gott Israels.*"

Als Jesus über den Vater sprach, zeigte Gott, dass Er allmächtig ist – und zwar durch Zeichen, Wunder und außergewöhnlich herrliche Dinge. Diejenigen, die Jesus glaubten und Ihm folgten, konnten die Macht Gottes sehen und Ihm die Ehre geben. Die, die nicht an Jesus glaubten, verließen Ihn und wurden in alle Winde verstreut. Sie glaubten nicht an Jesus, obwohl sie das erstaunliche Wirken Gottes selbst miterlebt hatten, und das nur, weil diese Dinge ihren eigenen Theorien und ihrem Wissen widersprachen.

Jesus nahm den schwierigen Weg zum Kreuz auf sich, um die Vorsehung der Errettung zu erfüllen, weil Er mit Gott dem Vater vollkommen eins war. Was Er im Herzen hatte, entsprach dem, was Gott geplant hatte – nämlich die sündige Menschheit zu retten, obwohl es ein sehr schwieriger Leidensweg war. Sein Wille entsprach dem Gottes. So wurde Er zum Sühneopfer. Jesus schlug diesen Weg ohne zu zögern ein, auch wenn es – aus menschlicher Sicht – ein äußerste schwerer Gang war.

Warum dürfen wir uns kein Bild von Gott machen?

Im 2. Mose 3 berief Gott Mose aus der Feuerflamme im Dornenbusch auf Berg Horeb. Mose sollte das Volk Israel, das in Ägypten litt, in das Gelobte Land bringen. Warum erschien Gott in dem brennenden Dornenbusch?

Natürlich verbrennen Büsche, wenn sie angezündet werden. Es war etwas Außergewöhnliches, als der Busch nicht verbrannte und die Flammen nicht verschwanden. Gott wollte Mose sehen lassen, dass es einen geistlichen Raum gibt, der nicht vergeht.

Außerdem steht ein Busch symbolisch für einen „Fluch". So bedeutet das Erscheinen von Gottes Botschafter in dem brennenden Dornenbusch, dass Er derjenige ist, der selbst über verfluchte Büsche die Kontrolle hat. Im Geistlichen heißt dies, dass der Feind, der Teufel, unter der Kontrolle von Gott steht. Mose wurde jemand, der sich in Gottes Augen über einen Zeitraum von vierzig Jahren dafür qualifiziert hatte und den Gott zum Anführer Israels bestimmte.

Doch als Er sich später dem Volk Israel in den Flammen am Berg Horeb offenbarte, hörte es nur Seine Stimme. Sein Angesicht sah es nicht. Gott erinnerte es an diese Tatsache später noch einmal und befahl des Volk, sich absolut kein Bild von Ihm zu machen: *„So hütet eure Seelen sehr – denn ihr habt keinerlei Gestalt gesehen an dem Tag, als der HERR am Horeb mitten aus dem Feuer zu euch redete-, dass ihr nicht zu eurem Verderben handelt und euch ein Götterbild macht in Gestalt irgendeines Götzenbildes, das Abbild eines männlichen oder* *eines weiblichen Wesens, das Abbild irgendeines Tieres, das es auf der Erde gibt, das Abbild irgendeines geflügelten Vogels, der am Himmel fliegt, das Abbild von irgendetwas, das auf dem Erdboden kriecht, das Abbild irgendeines Fisches, der im Wasser unter der Erde ist, und dass du deine Augen nicht zum Himmel erhebst und, wenn du die Sonne und den Mond und die Sterne, das ganze Heer des Himmels siehst, dich verleiten lässt und dich vor ihnen niederwirfst und ihnen dienst, die doch der HERR, dein Gott, allen Völkern unter dem ganzen Himmel zugeteilt hat!"* (5. Mose 4,15-19).

Warum sagte Gott das? Der Mensch wurde mit einer bestimmten Gestalt geschaffen und darum neigt er dazu, auch Gott eine Form zuschreiben zu wollen. Er wusste allerdings, dass die Menschen Ihn in Seinem Wesen einschränken würden, wenn sie Ihn in ein bestimmtes Bild pressten. Wenn sie ein Abbild Gottes erschufen, würde es ihnen nicht helfen, Ihn besser zu verstehen. Vielmehr würde es sie daran hindern, das wahre Bild Gottes zu erfassen, wenn sie sich ein falsches Bild von Ihm machten. Das hätte wiederum zu Götzendienst geführt – etwas, was Gott mehr als alles andere hasst.

Gott ist Geist. Wie können wir ein Bild von Ihm machen oder Ihn sonst beschreiben? Als Mose Gott bat, sich ihm zu zeigen, versprach Er, ihm Seine Güte – anstatt eines tatsächlichen Bildes – zu zeigen.

So wie Wasser zu Eis gefriert oder als Wasserdampf verdunstet, kann Gott sich in verschiedenen Formen zeigen, obwohl Er eine Natur hat. Auf diese Weise hilft Er den Menschen, Ihn besser zu verstehen, denn Er ist Geist, während der Mensch körperlich begrenzt ist.

Die Größe von Gottes Gestalt

An vielen Stellen in der Bibel finden wir Beschreibungen von Gottes „Körperteilen" wie zum Beispiel Seine „Augen" (1. Könige 8,29), „Ohren" (Nehemia 1,6) und „Hände" (Jesaja 65,2). Haben diese Formulierungen nur symbolischen Charakter? Nein, das ist nicht der Fall.

Gott lebt nicht in einer formlosen Leere. Er hat eine bestimmte Form, will meinen, Er besteht selbstverständlich aus etwas. Doch Er unterscheidet sich dadurch vom Menschen, dass Seine Form geistlicher Natur ist – ohne einen physischen Leib, während der Mensch aus Geist, Seele und Leib besteht. Darüber hinaus besteht Gott aus strahlendem Licht und wir können Ihn nicht direkt anschauen. Auch unterscheidet Er sich fundamental von den Menschen, weil Adam zunächst eine Gestalt bekam und danach erst mit Wahrheit gefüllt wurde. Gott dagegen ist die Wahrheit selbst und nahm erst später Gestalt an.

Manche mögen denken, Gott existiere in einem sehr großen Leib, denn Er ist der Schöpfer, der alles im Universum schuf und über alles regiert. Natürlich hat Er eine große Form, doch Er kann diese beliebig ändern. Somit können wir nicht erfassen, welche Gestalt Er hat, wenn mir mit menschlichen Maßstäben herangehen.

Selbst nachdem wir in den Himmel kommen, unterscheiden wir uns fundamental von Gott. Menschen bekommen einen geistlichen Leib, der die menschliche Zivilisation in einem natürlichen Körper auf der Erde erlebt hat. Gott dagegen kann mit und ohne Gestalt auftreten. Die Menschen werden im Himmel für ewig an eine bestimmte Form gebunden sein, die sie nicht ändern können. Man könnte das mit einer Gipsfigur vergleichen. Wenn man damit fertig ist, kann man nicht zur ursprünglichen Form zurückkehren.

Gott kann einfach als Licht existieren oder eine Form annehmen. Im vierten Himmel zieht Gott gewöhnlich keine Gestalt an, sondern existiert lediglich als Licht und Stimme. Aber Er nimmt eine Gestalt an, wenn Er zu den Propheten oder in den dritten Himmel, das himmlische Königreich, geht. Er nimmt Gestalt an, wenn Er sich an einen Ort begibt, wo Er dies tun sollte und Er zieht keine Gestalt an, wenn Er es nicht braucht. Er kann über die Größe Seiner Gestalt frei bestimmen.

Im vierten Himmel ist die Konsistenz einer Sache nicht auf fest, flüssig oder gasförmig beschränkt. Die Substanz kann ihre Form anpassen, je nachdem, was Gott dazu gerade im Herzen meint. Am Anfang existierte Gott als Licht und Klang, ohne Gestalt, aber wenn Er in den dritten Himmel kommt, kann Er eine gewisse Form annehmen.

Der erste Mensch, Adam, wurde in diesem Ebenbild geschaffen – dem Ebenbild Gottes im dritten Himmel. Das ist auch das Bild, das wir sehen werden, wenn wir in den Himmel kommen. Doch selbst wenn Er dieselbe Form hat, erscheint Er anders als im vierten oder dritten Himmel. Das liegt daran, dass Licht, Herrlichkeit, Würde und alles andere in den verschiedenen Dimensionen oder Räumen anders ausschauen.

Beispielsweise kann dasselbe Kristall anders aussehen, wenn das Licht variiert und es an einem anderen Ort platziert wird. So sehen auch die Herrlichkeit und Gestalt von Gott im vierten Himmel anders aus, als wenn Er in einer niedrigeren Dimension ist. Und selbst im gleichen geistlichen Raum kann die Gestalt anders aussehen. Wenn Gott in den ersten Himmel, den physischen Raum, tritt, sind die Unterschiede noch größer.

Sieht man Gott durch eine Passage im geistlichen Raum in dieser natürlichen Welt, ist das ganz anders, als würde man Ihn sehen, wenn Er menschliche Gestalt annimmt und auf die Erde herabkommt. Die Propheten oder Engel können keine Gestalt annehmen, so dass sie immer noch im geistlichen Raum sind, selbst wenn sie im natürlichen Bereich erscheinen. Gott dagegen kann jegliche Gestalt annehmen, über die Er im Herzen nachdenkt, denn Er ist der Schöpfer, der alle Räume und Gestalten schuf. Er kann im natürlichen Raum erscheinen, während Er im geistlichen Raum ist. Er kann aber auch in einer natürlichen Gestalt erscheinen, die für Menschen sichtbar ist.

Gott tritt durch geistliche Passagen

Es gibt in der Bibel viele Berichte darüber, wie Gott im Laufe der Menschheitsgeschichte auf die Erde kam. Aber wie genau kam Er auf die Welt?

Wir lesen im 1. Mose 11,5: *„Und der HERR fuhr herab, um die Stadt und den Turm anzusehen, die die Menschenkinder bauten."* Er kam auf die Welt, um zu schauen, was die Menschen taten. Auch im 2. Mose 19,18 sehen wir, wie Gott herunterkam: *„Und der ganze Berg Sinai rauchte, weil der HERR im Feuer auf ihn herabkam. Und sein Rauch stieg auf wie der Rauch eines Schmelzofens, und der ganze Berg erbebte heftig."* Zudem steht in 4. Mose 11,25: *„Und der HERR kam in der Wolke herab und redete zu ihm und nahm von dem Geist, der auf ihm war, und legte ihn auf die siebzig Männer, die Ältesten. Und es geschah, sobald der Geist auf sie kam, weissagten sie; später aber nicht mehr."*

Gott ist nicht an den veränderten Verlauf der Zeit gebunden. Alle physischen und geistlichen Räume gehören Ihm. Dennoch nutzte Er eine geistliche Passage, um auf die Welt zu kommen. Er hätte nicht durch eine geistliche Passage kommen brauchen, tat es aber dennoch, um sich an die Regeln Seiner Gerechtigkeit zu halten.

Obwohl Er persönlich da war, konnten ihn fleischliche Menschen damals nicht sehen. Doch diejenigen, deren geistliche Augen offen waren und die mit Ihm kommunizierten, konnten Ihm in dem Maße sehen, wie sie im Geist wandelten. Selbstverständlich sahen sie Gott nicht von Angesicht zu Angesicht. Vielmehr sahen und spürten sie Ihn innerhalb des Rahmens, den Er ihnen gestattete.

2. Mose 33,11 heißt es: *„Und der HERR redete mit Mose von Angesicht zu Angesicht, wie ein Mann mit seinem Freund*

redet." Das heißt nicht, dass Mose Gottes Gesicht zu sehen bekam. Vielmehr bedeutet es, dass Er sich Mose auf eine besondere Weise zeigte, so dass er nicht sterben musste, obwohl er Seine Herrlichkeit gesehen hatte. Der Grund ist, dass Mose sanftmütiger und demütiger als alle anderen Menschen auf der Erde war und sich im ganzen Hause Gottes als treu erwiesen hatte.

In 2. Mose 33,18-19 heißt es: *"Er aber sagte: Lass mich doch deine Herrlichkeit sehen! Er antwortete: Ich werde all meine Güte an deinem Angesicht vorübergehen lassen und den Namen Jahwe vor dir ausrufen: Ich werde gnädig sein, wem ich gnädig bin, und mich erbarmen, über wen ich mich erbarme."*

Im 2. Mose 33,23 wird klar, dass Mose nicht Gottes Angesicht, sondern Seinen Rücken sah. Er war wie erwähnt demütiger und sanftmütiger als alle anderen auf der Erde und treu im ganzen Haus Gottes. Dennoch konnte er Gottes Abbild nicht direkt sehen, da er durch seinen natürlichen Körper eingeschränkt war.

Gott erschien Abraham

In 1. Mose 18 lesen wir, wie Abraham den drei Gästen mit dem Besten diente. Das war damals, als Gott der Heilige Geist und zwei Erzengel ihm in menschlicher Gestalt erschienen. Gott der Heilige Geist ist eins mit Gott dem Vater. Er kann in Menschengestalt erscheinen, wenn Er sich in den physischen

Raum begibt, nachdem Er darüber in Seinem Herzen nachgesonnen hat.

Wie aber konnten zwei Erzengel als Menschen erscheinen? Sie können sich aus eigener Kraft nicht in eine physische Form kleiden, doch es wurden ihnen ermöglicht, weil sie mit Gott dem Heiligen Geist in Seinem physischen Raum waren. Dass Gottes Geist und die beiden Erzengel in menschlicher Gestalt erschienen, heißt nicht, dass sie wie Menschen waren, sondern dass sie eine menschliche Gestalt über ihre geistliche Form stülpten, so dass ihr geistliche Form in der physischen Welt sichtbar werden konnte.

Alle drei, das heißt Gott der Heilige Geist und die beiden Erzengel, aßen das Mahl, das Abraham ihnen brachte (1. Mose 18,8). Doch ihr Essen war anders als das von Menschen. Sie kauten und verdauten die Mahlzeit nicht wie Menschen. Sobald sie es aßen, löste es sich auf, ähnlich wie beim auferstandenen Herrn, als Er etwas aß. Sein Essen löste sich auf und wurde durch die Atmung eliminiert. Natürlich was das kurzfristige Anziehen einer physischen Gestalt nicht dasselbe, wie wenn man in einem auferstandenen Leib ist. Der auferstandene Körper ist ein physischer Leib auf Erden, der in einen geistlichen Leib verwandelt wurde. Die drei Besucher von damals existierten kurzfristig in einem Leib, der sich für die physische Welt eignete, als dies nötig wurde.

Gottes Heiliger Geist kam mit den zwei Erzengeln in einem physischen Leib auf die Erde, um sich Sodom und Gomorra selbst anzusehen. Er hätte natürlich auch als Geist kommen können, aber Er hatte einen Grund dafür, den Boden selbst zu betreten und sich die Sache persönlich anzuschauen.

Die beiden Erzengel erschienen in Menschengestalt und konnten so genau prüfen, wie verdorben die Menschen dort waren. Die Bewohner sahen die Schönheit der Engel und wollten Ihnen Böses tun. Gottes Geist und die zwei Erzengel konnten direkt miterleben und spüren, wie schlimm die Einwohner von Sodom und Gomorra waren, weil sie in menschlicher Gestalt zu ihnen gingen.

In 1. Mose 18,13 heißt es: *„Da sprach der HERR zu Abraham..."* Daraus können wir schließen, dass derjenige, der vor Abraham erschien, Gott der Herr war. Es steht allerdings geschrieben, dass drei Personen da waren, so dass uns bewusst wird, wie Gott vor Abraham trat.

Gott hätte Abraham auf verschiedene Art und Weise erscheinen können, zum Beispiel in einem Traum oder einer Vision. Er hätte aber einfach auch zu ihm reden können. Auf diese Weise konnte der geistliche Raum für Abraham, der im physischen Bereich war, aufgeschlossen werden, so dass er Gott, der im geistlichen Raum war, sehen und spüren konnte. Man sieht Gott und hört Seine Stimme nur, wenn man seine geistlichen Augen und Ohren öffnet. Wenn jemandes geistliche Augen nicht geöffnet sind, kann er nie sehen, was im Geist passiert, obwohl Gott bei ihm ist.

Als Gott mit den Engeln erschien, verhielt sich die Sache anders. Damals wurde nicht nur der geistliche Raum für den physischen geöffnet, so dass Gott im Natürlichen sichtbar wurde. Damals trat Er tatsächlich in den physischen Bereich hinein, zog zu einem gewissen Grade eine physische Gestalt an und trat in den natürlichen Raum ein.

In einem Fall ist es so, als würde man Gottes Bild im Fernsehen sehen, im anderen Fall ist es, als würde Er aus dem Fernsehen heraustreten. Wenn Gott in physischer Form in den natürlichen Bereich tritt, können Menschen Ihn sehen, selbst wenn ihre geistlichen Augen nicht offen sind – und in diesem Fall kann man Gott in menschlicher Gestalt sehen.

Der Herr im intensiven Glanz

Wie sieht nun die Gestalt von Gott dem Sohn aus? Manchmal hören wir von Leuten, sie hätten den Herrn in Träumen oder Visionen gesehen. Die meisten sagen, Er sei voller Barmherzigkeit und Liebe gewesen – und das ist so, weil Er Sein Licht wegnahm, um sich als Gestalt voller Barmherzigkeit zu offenbaren. Wenn Er Seine göttliche Autorität und Würde zeigen würde, die auf der gleichen Ebene wie die von Gott dem Schöpfer ist, würde sich niemand trauen, Ihn direkt anzuschauen.

Darum können wir den Herrn des Himmels auch nicht sehen, es sei denn, wir jagen dem Frieden mit allen Menschen und der Heiligung nach (Hebräer 12,14). Das Licht des Herrn ist einfach zu stark. Diejenigen, die im Geist wandeln oder sich ganz vom Geist erfüllt leiten lassen, werden den Herrn sehen können, denn das Licht in ihrem eigenen geistlichen Leib wird auch stark sein.

Der Apostel Johannes sah die Erscheinung Gottes in einer Vision. Er beschrieb die Augen, Füße und das Haar des Herrn im Detail. Wir können uns die Gestalt von Gott dem Vater anhand der Beschreibung des Herrn vorstellen.

In Offenbarung 1,14-15 steht: *„[S]ein Haupt aber und die Haare waren weiß wie weiße Wolle, wie Schnee, und seine Augen wie eine Feuerflamme, und seine Füße gleich glänzendem Erz, als glühten sie im Ofen, und seine Stimme wie das Rauschen vieler Wasser."*

Da heißt es, das Haar des Herrn war weiß wie Wolle. Das bedeutet, Er war frei von jeglichen bösen Dingen und Er steht für perfekte Güte. Es heißt, Seine Augen waren wie Feuerflammen. Das bedeutet nicht, dass Seine Augen furchterregend waren, sondern dass sie die Umgebung erhellen und man die von ihnen ausgehende Wärme spüren kann. Außerdem bedeutet es, dass sie alle Sünden und alles Böse verbrennen. Niemand kann sich vor den Augen des Herrn verstecken und alles wird vor Ihm offenbar. Außerdem heißt es, Seine Füße waren wie glänzendes Erz. Je mehr man Erz läutert, desto reiner wird es. In der Literatur werden die Augen von schönen Frauen mit funkelnden Sternen verglichen oder ihre Lippen mit Kirschen. In ähnlicher Weise verglich Johannes die Füße des Herrn mit glänzendem Erz. Die Füße betrachten die Menschen oft als den schmutzigsten Teil des Körpers. Aber Johannes schrieb, dass sogar die Füße des Herrn heilig und würdig sind.

In Offenbarung 1,16-17 lesen wir des Weiteren: *„[U]nd er hatte in seiner rechten Hand sieben Sterne, und aus seinem Mund ging ein zweischneidiges, scharfes Schwert hervor, und sein Angesicht war, wie die Sonne leuchtet in ihrer Kraft. Und als ich ihn sah, fiel ich zu seinen Füßen wie tot. Und er legte seine Rechte auf mich und sprach: Fürchte dich nicht! Ich bin der Erste und der Letzte..."*

Der Apostel Johannes war ein geheiligter, geeigneter Mann und empfing die Offenbarung Gottes, doch er fiel vor dem Herrn wie ein Toter zu Boden. Der Herr legte Seine rechte Hand auf Johannes und sagte ihm, er solle sich nicht fürchten. Er gab ihm den Auftrag, die Offenbarung zu schreiben, die in der Endzeit viele Menschen wachrütteln würde. Dies besiegelte Er, in dem Er ihm die Hand auflegte. Mit der Handauflegung tröstete Er Johannes, damit er diesen Auftrag in Frieden würde erfüllen können.

Gottes Ebenbild aus der Sicht des Apostels Johannes

Der Apostel Johannes sah den Thron Gottes und die Dinge um ihn herum. Er beschrieb das Gesehene in Offenbarung 4. Er sah ein Ereignis, dass erst sehr lange, nachdem er es niedergeschrieben hatte, geschehen sollte. Wie in diesem Falle dürfen auch wir – mit der Erlaubnis Gottes – überall und in jeder Zeit sein, ob in der Vergangenheit oder der Gegenwart, über Raum und Zeit hinweg. Wir können Himmel und Hölle sehen, die Zeit vor der Schöpfung und sogar das Gericht vor dem großen weißen Thron, das erst in Zukunft stattfinden wird.

Im Falle des Apostels Johannes wurde sein Geist losgelöst, damit er in den geistlichen Bereich sehen konnte. Hier ist mit der Loslösung des Geistes gemeint, dass sein Geist aus seinem Körper herauskam. Man kann den geistlichen Bereich auch durch eine Vision sehen, aber dann sieht man nur einen Teil davon. Aus diesem Grund wirkt Gott durch die Loslösung des Geistes, wenn Er uns eine größere Vorschau geben möchte. Wie konnte der Apostel Johannes Gott und Seinen Thron sehen?

Er erlebte bis zu seinem 90. Lebensjahr als Nachfolger Jesu viele Prüfungen und viel Verfolgung. Er wurde in einen Kessel mit kochendem Öl geworfen, starb aber durch das Eingreifen Gottes nicht. Am Ende wurde Johannes nach Patmos ins Exil verbannt. Dort empfing er beim intensiven Beten göttliche Offenbarungen. Zu dem Zeitpunkt war er bereits durch seine eifrigen Gebete und die vielen Prüfungen, die er durchgemacht hatte, vollkommen geheiligt. Er empfing in diesem Zustand der Heiligkeit Offenbarungen von Gott. Aus diesem Grund konnte sein Geist so hoch aufsteigen – bis zum Thron Gottes.

In Offenbarung 4,3 beschreibt er den Thron Gottes wie folgt:

Und der da saß, war von Ansehen gleich einem Jaspisstein und einem Sarder, und ein Regenbogen war rings um den Thron, von Ansehen gleich einem Smaragd.

Dank der besonderen Vorsehung Gottes sah Johannes Ihn und Seinen Thron, aber er erkannte die Einzelheiten in Gottes Gesicht nicht, denn das Licht, das aus Seinem Gesicht kam, war viel zu hell. So wie wir nicht direkt in die Sonne schauen, weil ihr Licht zu hell ist, können wir auch das Gesicht Gottes, der Licht ist, nicht sehen, solange wir geistliche Finsternis in uns haben. Um Gottes Ebenbild sehen zu können, müssen wir alles Böse ablegen und ein Herz wie Gott haben, damit wir ein vollkommenes Licht werden. Nur diejenigen, die in das dritte Reich der Himmel oder noch höher kommen, können Sein Angesicht sehen.

Der Geist von Johannes stieg zu Gottes Thron auf, aber er konnte das Gesicht Gottes nicht direkt sehen. Darum schrieb er, Sein Gesicht erscheine wie ein Jaspisstein oder ein Sarder.

Unter dem Vergleich „wie ein Jaspisstein" soll ausgedrückt werden, dass verschiedenfarbiges Licht von Gott ausgeht. Wenn man Licht auf einen Jaspisstein lenkt, reflektiert dieser viele schöne Lichter. Ähnlich ist es bei Gott – aus dem viele verschiedene Lichter hervorstrahlen. Jaspis symbolisiert auch Reinheit, Makellosigkeit, Ehrlichkeit und Gerechtigkeit. Der Apostel verglich Gott mit kostbaren Edelsteinen, denen die Menschen auf Erden großen Wert beimessen.

Dass Gott „wie ein Sarder" ist, bedeutet, dass Er hell und brillant ist, so schön wie Feuerflammen. Der Sarder, der eine rötliche Farbe hat, enthält das Licht des Heiligen Geistes, der in Gott ist. Gott der Vater und Gott der Heilige Geist sind eins und das Licht, das im Heiligen Geist ist, findet sich auch in Gott dem Vater. Darum sind die Farben des Jaspissteins und Sarders gewöhnlich in der gesamten Dreieinigkeit zu finden.

Der „Regenbogen" steht symbolisch für die Verheißung Gottes (1. Mose 9,12-13). Gott machte ihn zum Zeichen für Seine Verheißung, dass Er die Menschheit nach der Flut Noahs nie mehr mit Wasser strafen würde. Johannes vergleicht die Form des Regenbogens, die den Thron Gottes umgibt, und das daraus hervorgehende Licht mit einem Smaragd. Seiner Meinung nach ähnelten die Farben und das Licht des Regenbogens also einem Smaragd. Ihm fiel kein anderes, besseres irdisches Beispiel für diesen Vergleich ein.

Der Smaragd steht für die Festigkeit, Kühnheit und Stärke Gottes. Bei einer Lasershow sieht man verschiedene Lichter, die jeweils hervorstechen. Verschiedenfarbiges Licht erscheint in einer Sequenz oder mehrere Lichter vermischen sich und schaffen damit ein großartiges Bild. Wenn Menschen diese Shows sehen, sieht jeder das Licht anders. Manche konzentrieren sich auf ein paar besondere Farben, während andere versuchen, die vermischten Farben anhand eines Beispiels zu erklären.

Der Apostel Johannes sah das Licht, das aus Gott und Seinem Thron hervorstrahlte und die verschiedenfarbigen Lichter des Regenbogens darum herum. Er beschrieb sie anhand von Edelsteinen. Es ist schwierig, die Schönheit des Himmels am Beispiel von Dingen auf der Erde zu beschreiben. Darum sollten wir nicht denken, dass die von Gott und Seinem Thron ausgehenden Lichter nur wie ein paar Edelsteine seien. Vielmehr sollten wir versuchen, die Schönheit dieser farbigen Lichter durch die Inspiration des Heiligen Geistes zu erahnen.

Habe teil an der göttlichen Natur

Im vierten Himmel existiert Gott als Licht mit einer schallenden Stimme darin. Es ist der Ort mit dem hellsten Licht und unvergleichlich schönen Farben. Das Mysteriöse und die Klarheit des Lichtes von Gott im Ursprung erfüllen den gesamten Raum. Es lässt sich mit nichts hier auf der Erde vergleichen und mit keiner menschlichen Sprache beschreiben. Wenn jemand an diesem Ort geht, sieht er die geheimnisvollen Lichter Gottes und spürt die Weite Seines Herzens. Nur wenige ausgewählte Personen, deren Herzen in ähnlicher Weise wie das von Gott geprägt sind, können mit Seiner Erlaubnis in diesen Raum treten. Würde jemand, der nicht dafür qualifiziert ist, dorthin gehen, würde sein Geist zerstreut werden und verschwinden.

Unser Herz wird mit dem von Gott eins, wenn wir als Kinder des Lichtes in die Dimension des vollkommenen Lichtes eintreten. Dann passieren Dinge, die wir im Herzen bewegen und wir können die unvorstellbar große Macht Gottes demonstrieren. Dafür müssen wir allerdings erst das verlorene Ebenbild Gottes wiedererlangen und das Herz Gottes haben. Wir können mit Gott in dem Maße kommunizieren, wie wir alle Arten des Bösen abwerfen und uns ganz vom Geist prägen lassen, so dass wir zum vollkommenen Licht werden.

In dem Umfang, wie wir die Heiligung erreichen und unser

Herz dem Gottes ähnelt, können wir Seinen Raum nutzen – über unsere menschlichen Begrenzungen hinaus. Dann können wir auch Gottes Ebenbild sehen. Mose sah das Angesicht Gottes, denn er war der demütigste von allen Menschen auf der Erde; außerdem war er im Hause Gottes in allem treu. Abraham sah Gott, der in körperlicher Gestalt auf die Erde kam, denn sein Licht war nahezu vollkommen.

Gott schmiedete den Plan für die menschliche Zivilisation, um wahre Kinder zu bekommen und Er erfüllte uns durch Seine mysteriöse Kraft mit allem, was wir für ein Leben brauchen, dass Ihm gefällt. Darum müssen wir versuchen, nicht nutzlos oder unfruchtbar in der wahren Erkenntnis unseres Herrn Jesus Christus zu sein. Wir können uns auf die Berufung Gottes und darauf, dass Er uns erwählt hat, verlassen, wenn wir aus unserem Glauben heraus moralische Exzellenz beweisen und in unserer moralischen Exzellenz, Erkenntnis, und in unserer Erkenntnis, Selbstbeherrschung und in unserer Selbstbeherrschung, Ausdauer und in unserer Ausdauer, Frömmigkeit und in unserer Frömmigkeit, brüderliche Liebe und in unserer brüderlichen Liebe, Liebe zu allen Menschen.

In 2. Petrus 1,3-4 heißt es: *„Da seine göttliche Kraft uns alles zum Leben und zur Gottseligkeit geschenkt hat durch die Erkenntnis dessen, der uns berufen hat durch seine eigene Herrlichkeit und Tugend, durch die er uns die kostbaren und größten Verheißungen geschenkt hat, damit ihr durch sie Teilhaber der göttlichen Natur werdet, die ihr dem Verderben, das durch die Begierde in der Welt ist, entflohen seid."*

Bevor wir an der göttlichen Natur teilhaben können, müssen wir ein vollkommenes Licht entwickeln, dass gut genug ist, um vom Licht Gottes absorbiert zu werden. So qualifizieren wir uns, um in den Raum Gottes eintreten zu können. Wir haben an der göttlichen Natur teil, wenn wir das Licht erreichen, dass dem vollkommenen Licht Gottes ähnelt, und in den Bereich eintreten, wo der ursprüngliche Gott wohnt. Was müssen wir tun, um an der göttlichen Natur teilhaben zu können?

Ersten: Wir müssen ein vollkommenes Herz entwickeln.

Wir müssen mit Gott, der Geist ist, eins werden. Darum müssen wir ein vollkommen vom Geist geprägtes Herz entwickeln. Wenn wir irgendwelche bösen, fleischlichen Gedanken haben oder an unserer eigenen Denkweise festhalten, können wir nicht an der göttlichen Natur teilhaben. Wir müssen alles Böse und alle fleischlichen Gedanken ablegen (1. Thessalonicher 5,2 und Römer 8,6), um ein vom Geist geprägtes Herz zu haben.

Ein vom Geist geprägtes Herz zu haben bedeutet, ein vollkommen geistliches, wahrhaftiges und aufrichtiges Herz zu haben, das Gott sich von uns wünscht. Erst wenn wir so ein Herz entwickelt haben, können wir verstehen, was Gott, der Herr und der Heilige Geist sich wirklich wünschen. Jesus kam auf diese Erde und erlebte Hunger, Trauer, Müdigkeit und Schmerzen. Er setzte das Wort Gottes in die Tat um und erfüllte das Gesetz mit Liebe.

Obwohl Er in einem menschlichen Körper so viele Schmerzen auf sich nahm, befolgte Er Gottes Willen. Er stritt sich nicht und erhob Seine Stimme nicht. Stattdessen erfüllte Er den Willen Gottes vollkommen, indem Er sich selbst opferte. Darum dürfen wir die Aussage, wir seien nur schwache Menschen, nicht als Ausrede hernehmen. Wir müssen an der göttlichen Natur teilhaftig werden, alle Sünden und alles Böse abwerfen, Gutes tun und ein Herz entwickeln, dass Gott gefällt.

Was für ein Herz hast du? Ich habe erklärt, welche Qualifikationen man braucht, um in den Raum des Lichtes eintreten zu dürfen und anhand dessen kann man sich selber prüfen. Wir können überprüfen, inwieweit wir die Werke des Fleisches, die Dinge des Fleisches und das Böse abgelegt haben, in welchem Maße wir die Güte entwickelt haben, die Gott sich wünscht, wie sehr wir Gott von ganzem Herzen lieben und den Duft der Güte verströmen, inwieweit wir die neun Früchte des heiligen Geistes und die der Seligpreisungen tragen.

Nehmen wir beispielsweise Frieden. Wenn wir mit allen Menschen Frieden haben, bedeutet das, dass wir ein vom Geist geprägtes Herz entwickelt haben, nahe am Licht des Herrn sind und dementsprechend an der göttlichen Natur teilhaben. Wir können nur dann sagen, wir hätten ein ganz vom Geist geprägtes Herz, wenn wir die Frucht des Heiligen Geistes, der geistlichen Liebe aus 1. Korinther 13, der Seligpreisungen und des Lichtes zu 100 Prozent haben – nicht nur zu 50 oder 60 Prozent.

Zweitens: Wir müssen vom Heiligen Geist inspiriert beten.

Gott will kein Aroma von Gebeten, die aus Pflichtgefühl gesprochen werden. Er will vielmehr, dass wir leidenschaftlich beten, um ein Herz zu entwickeln, wie es Ihm gefällt. Verschiedene Leute beten vielleicht genauso lange wie andere, aber das Aroma des Herzen ist von Person zu Person verschieden. Manche sind zufrieden, wenn sie ihre Gebetszeit eingehalten haben. Andere dagegen merken gar nicht, wie die Zeit beim Beten vergeht. Sie beten gern zu Gott und erwarten dabei, dass sie durch ihre Liebe zu Ihm verändert werden.

Wir sollten Werke aus dem geistlichen Bereich in dieser physischen Welt vorweisen können. Dafür brauchen wir Kraft und Vollmacht von Gott, der im geistlichen Bereich ist. So dürfen unsere Gebete nicht aus Pflichtgefühl gesprochen werden. Gott möchte, dass wir von ganzem Herzen beten, weil wir Ihn lieben.

Um Kraft von Gott zu empfangen, müssen wir vom Geist geprägte Gebete sprechen, die den geistlichen Raum durchdringen und den Bereich des Geistes öffnen. Um das zu tun, sollten wir nicht so beten, wie wir es für richtig halten oder während wir gedanklich mit anderen Dingen beschäftigt sind. Derartige Gebete können den physischen Raum nicht durchdringen. Sie sind vergeudete Mühe. Gott kann von solchen Gebeten nicht bewegt werden. Wenn deine Kinder dich starrköpfig nur um das bitten, was sie aus Habgier wollen, wie würde es dir dabei als Mutter oder Vater ergehen? Du wärst wahrscheinlich enttäuscht.

In 1. Korinther 2,10 heißt es: *„Uns aber hat Gott es offenbart durch den Geist, denn der Geist erforscht alles, auch die Tiefen Gottes."* Wir müssen vom Heiligen Geist, der in unserem Herzen wohnt, inspiriert beten. Dann können wir für Dinge beten, die dem Willen Gottes tatsächlich entsprechen. So werden wir auch wissen, was zu tun ist. Wir werden das Tor zum geistlichen Raum öffnen können und mit Gott, der in der geistlichen Dimension ist, kommunizieren, denn wir werden mit dem in uns wohnenden Heiligen Geist eins sein.

Drittens: Wir müssen jeden Menschen mit tugendreicher Großzügigkeit lieben und annehmen.

Ein vom Geist ganz durchdrungenes Herz spiegelt das Herz Gottes wieder und enthält bereits Liebe und Großherzigkeit. Dennoch betone ich Liebe und Großherzigkeit noch einmal. Der Grund dafür ist, dass wir in der Lage sein müssen, alle um uns herum zu lieben, weil wir Gott lieben. Wir brauchen ein weites, großes Herz, um alle annehmen zu können. Wir sollten voller Liebe und Großherzigkeit sein und uns um alle Menschen um uns herum kümmern, die eine schwierige Zeit durchmachen oder müde geworden sind. Das Herz Gottes ist über die Maßen groß, aber dennoch kümmert Er sich zärtlich und fürsorglich um Waisen und Witwen und um diejenigen, die vernachlässigt wurden.

Wenn wir uns liebevoll um die kleinen Dinge kümmern und

andere mit unserer Großherzigkeit aufbauen, haben wir an der göttlichen Natur teil. Dessen sollten wir uns bewusst sein und uns dementsprechend durch das Wort Gottes verändern lassen und an Seiner Natur teilhaftig werden.

Wenn unser Herz ganz vom Licht erfüllt ist und wir an der göttlichen Natur teilhaben, können wir – wie bereits beschrieben – in den Raum des Lichtes, den Raum Gottes, gehen. Wenn wir uns hineinbegeben, sehen wir das besondere Licht. Dort spüren wir das große Herz Gottes. Auch wenn unser physischer Leib im physischen Raum ist, können wir den Raum Gottes, den wir im Herzen haben, nutzen, um erstaunliche Dinge zu wirken, die über den menschlichen Verstand hinausgehen.

In 1. Johannes 1,5 lesen wir: *„Und dies ist die Botschaft, die wir von ihm gehört haben und euch verkündigen: dass Gott Licht ist, und gar keine Finsternis in ihm ist."* Wenn wir im vollkommenen Licht Gottes wohnen, ist unser Herz eins mit dem Gottes. Dann wird alles, was wir im Herzen bewegen, in Erfüllung gehen und wir werden mächtigere Dinge bewirken, die über das menschliche Vorstellungsvermögen hinausgehen.

Ich bete im Namen des Herrn Jesus, dass ihr alle Qualifikationen erlangt, die nötig sind, um hier auf Erden alle Segnungen Abrahams zu genießen und im Himmel, dem ewigen Ort des Lichtes, an die herrlichsten Stellen kommt.

Der Autor:
Dr. Jaerock Lee

Dr. Jaerock Lee wurde 1943 in Muan in der Provinz Jeonnam in der Republik Korea geboren. Im Alter zwischen 20 und 30 Jahren litt Dr. Lee sieben Jahre lang unter vielen unheilbaren Krankheiten und wartete nur noch auf den Tod, denn Hoffnung auf Heilung gab es nicht. Eines Tages im Frühling 1974 nahm ihn allerdings seine Schwester mit in eine Kirche und als er sich zum Gebet hinkniete, heilte ihn der lebendige Gott sofort von all seinen Krankheiten.

Seit Dr. Lee dem lebendigen Gott auf diese wunderbare Art und Weise begegnete, liebt er Ihn aufrichtig und von ganzem Herzen. Im Jahr 1978 wurde er zum Diener Gottes berufen. Er betete eifrig, denn er wollte den Willen Gottes klar verstehen und erfüllen und dem gesamten Wort Gottes gehorchen. Im Jahr 1982 gründete er in Seoul die Manmin-Gemeinde und seither sind in seiner Gemeinde unzählige Werke Gottes, einschließlich herrlicher Heilungen und Wunder, geschehen.

Dr. Lee wurde 1986 auf der Jahresversammlung der koreanischen Jesusgemeinde in Sungkyul zum Pastor geweiht und vier Jahre später, 1990, begann die Übertragung seiner Botschaften in Australien, Russland, auf den Philippinen und in vielen anderen Ländern durch Rundfunkanstalten wie die Far East Broadcasting Company, die Asia Broadcast Station und das Washington Christian Radio System.

Drei Jahre später, 1993, wurde die Manmin-Gemeinde von der US-amerikanischen Zeitschrift *Christian World* zu einer der „Top 50-Gemeinden der Welt" gewählt und er erhielt vom *Christian Faith College* in Florida den Ehrendoktortitel; 1996 erhielt er den Doktortitel vom *Kingsway Theological Seminary* in Iowa.

Seit 1993 steht Dr. Lee bei der weltweiten Evangelisation mit an der Spitze – und zwar durch viele Großveranstaltungen in Übersee, wie in Tansania, Argentinien, L.A., Baltimore City, Hawaii und New York City in den USA, in Uganda, Japan, Pakistan, Kenia, auf den Philippinen, in Honduras, Indien, Russland, Deutschland, Peru, in der Demokratischen Republik Kongo, in Israel und Estland.

2002 bezeichneten ihn große christliche Zeitungen in Korea wegen seines mächtigen Dienstes bei Evangelisationen auf der ganzen Welt als „weltweiten

Erweckungsprediger". Besonders zu nennen ist seine Großevangelisation von 2006 im Madison Square Garden, der weltbekannten Arena in New York, die in 220 Nationen übertragen wurde, sowie seine „Vereinte Großevangelisation in Israel" 2009, die im Internationalen Kongresszentrum von Jerusalem stattfand, bei der er kühn verkündigte, dass Jesus Christus der Messias und Retter ist. Seine Predigten werden via Satellit, beispielsweise über GCN TV, in 176 Ländern ausgestrahlt. 2009 und 2010 wurde er von der beliebten russischen Zeitschrift „Im Sieg" als einer der zehn einflussreichsten christlichen Leiter bezeichnet. Die Nachrichtenagentur *Christian Telegraph* ehrte ihn für seinen mächtigen TV-Dienst und seinen pastoralen Dienst für die Gemeinden in Übersee.

Im Februar 2019 zählte die Manmin-Gemeinde über 130.000 Mitglieder. Es gibt in Korea und überall auf dem Globus verteilt 11.000 Tochtergemeinden. Bisher sind 99 Missionare in über 27 Länder entsandt worden, wie zum Beispiel in die Vereinigten Staaten, nach Russland, Deutschland, Kanada, Japan, China, Frankreich, Indien, Kenia und viele anderen Länder.

Zur Zeit dieser Veröffentlichung hat Dr. Lee 115 Bücher geschrieben, darunter Bestseller wie *Schmecket das ewige Leben vor dem Tod, Mein Leben, Mein Glaube: Teil 1 und 2, Die Botschaft vom Kreuz, Das Maß des Glaubens, Der Himmel: Teil 1 und 2, Die Hölle* und *Die Kraft Gottes*. Seine Werke sind in über 76 Sprachen übersetzt worden.

Seine christlichen Kolumnen erscheinen in *The Hankook Ilbo, The Chosun Ilbo, The JoongAng Daily, The Dong-A Ilbo, The Hankyoreh Shinmun, The Seoul Shinmun, The Kyunghyang Shinmun, The Korea Economic Daily, The Shisa News* und *The Christian Press*.

Dr. Lee leitet derzeit viele Missionsorganisationen und -vereine in folgenden Positionen: Vorsitzender der United Holiness Church of Jesus Christ; ständiger Präsident von The World Christianity Revival Mission Association; Gründer und Aufsichtsrat vom Global Christian Network (GCN); Gründer und Aufsichtsrat vom The World Christian Doctors Network (WCDN) und Gründer und Aufsichtsrat von der Bibelschule Manmin International Seminary (MIS).

Andere mächtige Bücher von diesem Autor

Der Himmel I & II

Eine detaillierte Darstellung der herrlichen Lebensumstände der Bewohner des Himmels und eine wunderschöne Beschreibung der verschiedenen Ebenen in den himmlischen Königreichen.

Die Botschaft vom Kreuz

Ein mächtiger Weckruf an alle Menschen, die geistlich schlafen! In diesem Buch finden sie den Grund, warum Jesus der einzige Retter ist und die echte Liebe Gottes verkörpert.

Die Hölle

Eine ernste Botschaft Gottes an die gesamte Menschheit; Er will nicht, dass auch nur eine Seele in die Tiefen der Hölle abstürzt! Sie werden die bisher noch nie veröffentlichte, grausame Realität des Abgrunds und der Hölle entdecken.

Geist, Seele und Leib. Teil 1

Dieses Handbuch hilft uns, Geist, Seele und Leib zu verstehen und herauszufinden, wie das „Selbst" ausschaut, das wir entwickelt haben, damit wir die Kraft bekommen können, um die Finsternis zu besiegen und eine Person zu werden, die vom Geist geprägt wird.

Das Maß des Glaubens

Was für einen Wohnung, Krone und Belohnung stehen für Sie im Himmel bereit? Dieses Buch schenkt Ihnen Weisheit und hilft Ihnen, Ihren Glauben zu messen und den besten und reifsten Glauben zu entwickeln.

Wache auf, Israel

Warum ruht Gottes Auge schon vom Anbeginn der Welt bis zum heutigen Tage immer auf Israel? Was hat Er für das Israel, das immer noch auf den Messias wartet, gemäß Seiner Vorsehung für die Endzeit vorbereitet?

Mein Leben, Mein Glaube I & II

Ein duftendes, geistliches Aroma entspringt einem Leben, das aufblühte mit einer unvergleichlichen Liebe – mitten unter dunklen Wellen, kalten Jochen und tiefer Verzweiflung.

Die Kraft Gottes

Diese wichtige Anleitung muss man gelesen haben, so dass man echten Glauben haben und die wunderbare Kraft Gottes erleben kann.

www.urimbooks.com

www.ingramcontent.com/pod-product-compliance
Lightning Source LLC
LaVergne TN
LVHW041920070526
838199LV00051BA/2679